抜き穂祭
愛媛県大三島町／大山祇神社

子供強飯式
栃木県日光市／生岡神社

ヘトマト

長崎県福江市／白浜神社・山城神社

ジャランポン祭り

埼玉県秩父市／諏訪神社・下久那公会堂

うじ虫祭り
愛知県豊川市／牛久保八幡社

鍋冠祭り
滋賀県米原町／筑摩神社

つぶろさし

新潟県佐渡市／菅原神社・草苅神社

とんまつりJAPAN
日本全国とんまな祭りガイド

みうらじゅん

集英社文庫

突拍子もないセンス、
探し求めて旅に出た
とんまな祭りだ！　とんまつり!!
思わず「どーかしてるよ!?」と、
叫びたくなるほどパワー全開！
まだまだ日本も大丈夫！
今日もどこかで
とんまつりJAPAN！

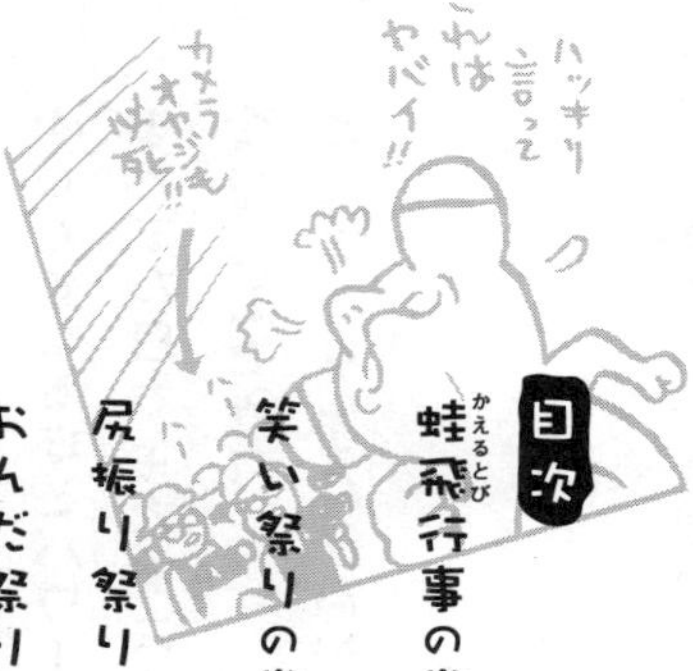

目次

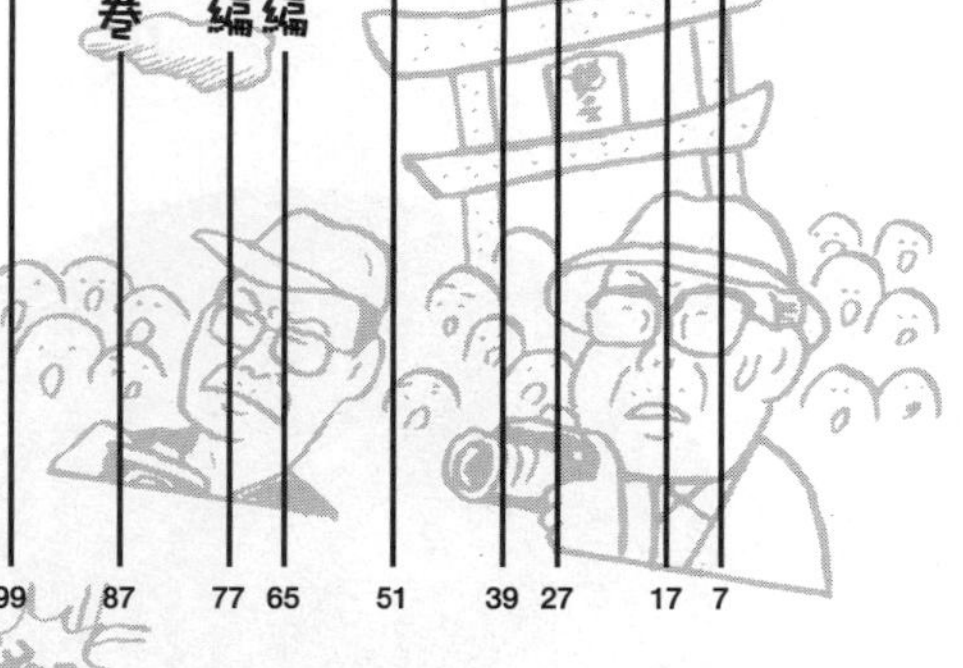

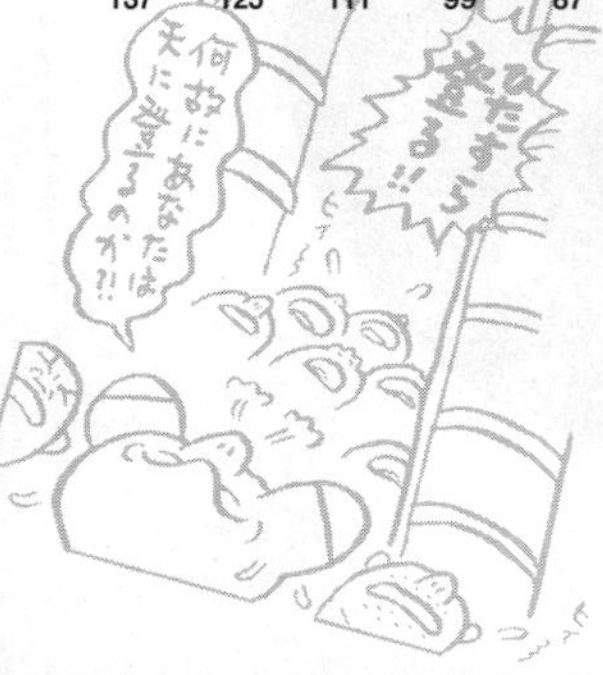

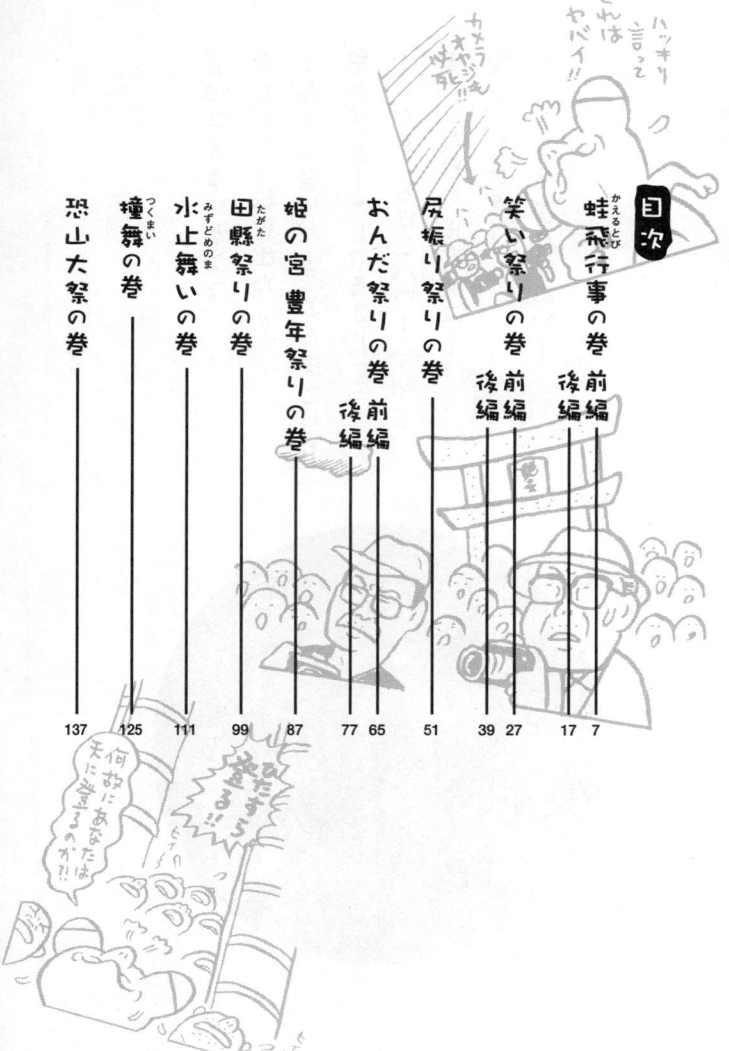

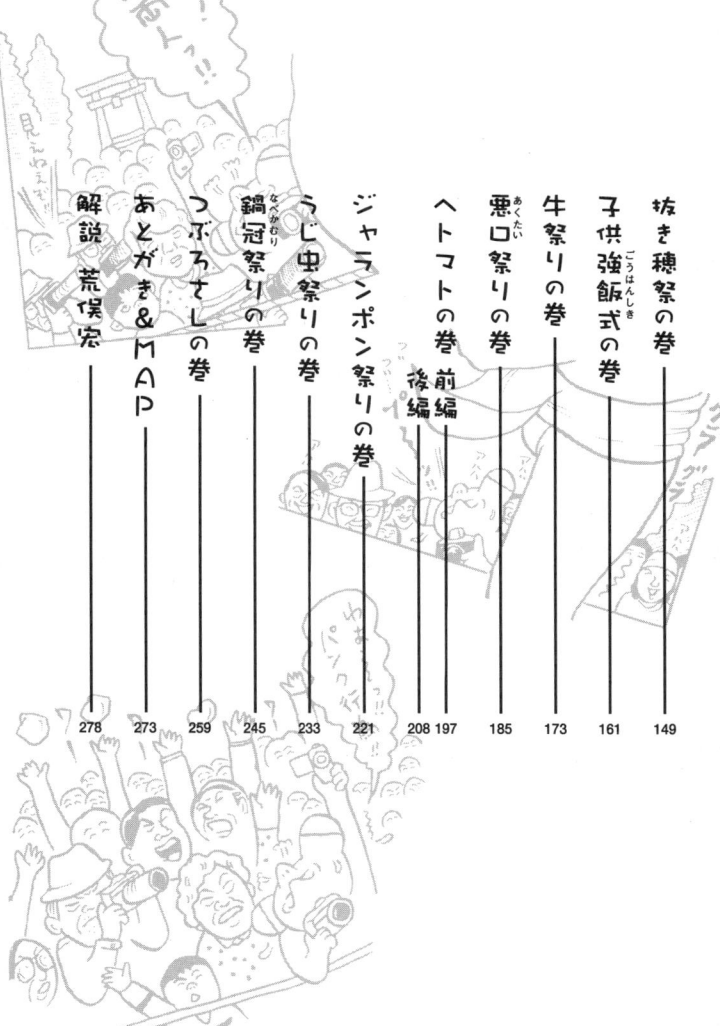

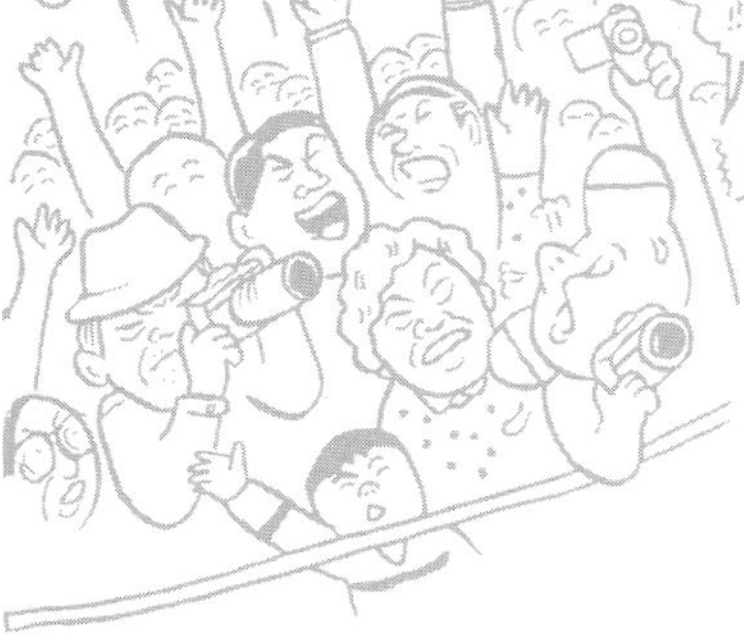

蛙飛《かえるとび》行事の巻（前編）

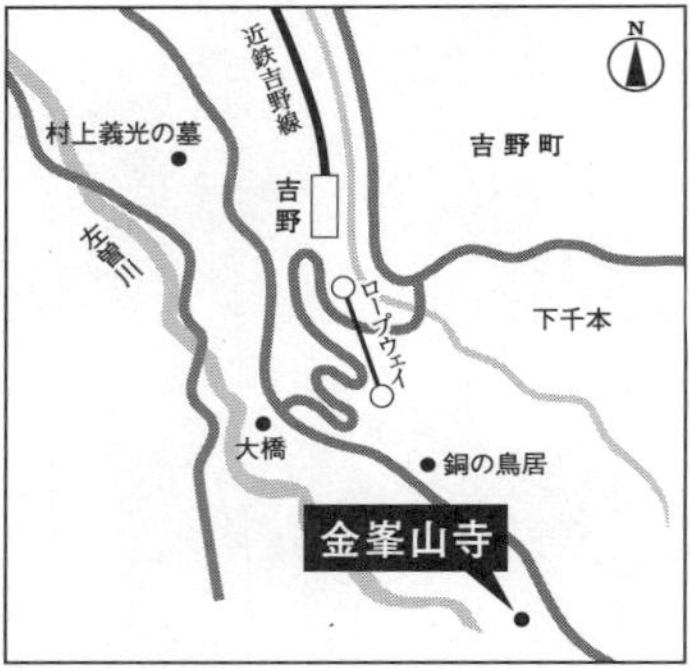

蛙飛行事

開催場所　奈良県吉野郡吉野町　金峯山寺
アクセス　近鉄吉野線吉野駅よりロープウェイで吉野山駅下車
開催時期　毎年7月7日

【吉野町文化観光商工課】
〒639-3192　奈良県吉野郡吉野町上市80-1
電話 07463-2-3081
http://www.town.yoshino.nara.jp/kanko/index.htm

（上記のデータは全て2004年6月現在のものです）

谷岡ヤスジ先生の漫画なら、セミが
〝ガーシ　ガーシ　ガーーーシ〟

と鳴く、うだるような夏のある日。

オレは奈良・吉野の金峯山寺《きんぷせんじ》の山道でカエルがやって来るのを待っていた。

照りつける太陽、風の流れは完全に止っている。

観光客らしき者はあまり見当らない。地元の人や、日曜カメラマン風なオヤジたちが道の脇に立って自分の場所を確保している。

時計を見るととっくに午後一時を回っていた。

「この坂を上ってくるんですよね？」

間《ま》がもてなくなったオレは、土産《みやげ》物屋のオバサンに聞いてみた。

「もう来るんとちがうかなぁー」

その穏やかな口ぶりは、〝私ら毎年見てるから取り立てて珍しいことではない〟といった風だ。

オレは居ても立ってもいられなくなり、寺の山門を背にもう少し坂を下ってみた。

その時！

遠くの方から〝ワッショイ　ワッショイ〟の掛け声が近づいてきて、構えたカメラのズームの向こうに御輿《みこし》が見えた。

よくは聞き取れないが、ワッショイに混じって〝ババァが何とかかんとか♬〟というワイルドな歌詞も耳に入った。

「何んだぁ!?」

オレは思わず声を上げた。

御輿の中にはバコーンと口を開けた巨大ガエルが乗っている!!

まるでイジメのように大きく揺らされる御輿の中で、カエルは必死に欄干《らんかん》につかまり、そのバコーンと開いた口をカポカポさせている。

「どーかしてるよコレ…」

オレは気を確かに、今ある状況を見つめ直した。しかし、まわりは誰一人笑う人もなく、オレだけが部外者という疎外感を味わった。

その祭りを知ったのは、仏像趣味の延長で買った『山岳霊場　御利益旅』(久保田展弘著、小学館)という本からだった。

金峯山寺の蔵王堂に安置されている蔵王権現《ざおうごんげん》像は密教の五大明王を彷彿《ほうふつ》させるが、これはインドでも中国でもなく、役　行者《えんのぎょうじゃ》という修験道の開祖が感得《かんとく》した日本唯一のオリジナル仏像である。

像高八メートルといわれる三体の蔵王権現はどれも秘仏で、六十年に一度の御開帳と聞く。それが一体いつに当るのかを調べたくてその本を買ったのだが、パラパラ見てる時にとんでもない写真に出会った。

この街では七夕祭りと
蛙飛行事が合体!

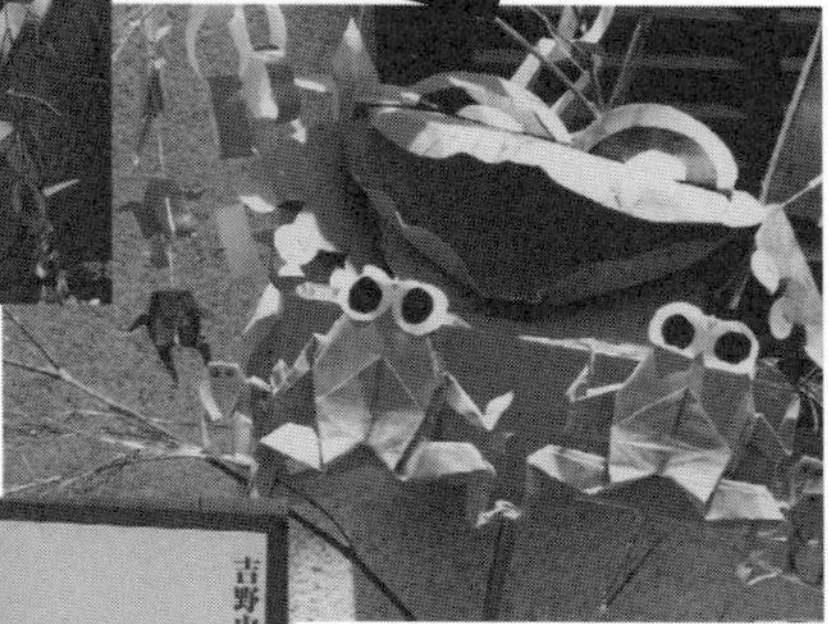

いたるところに
蛙飛行事の告知が!

オレのカエル魂が
燃えるぜっ!

このハリウッド版ゴジラの御時世に、どう見ても着ぐるみ丸出しのカエルが、茣蓙《ござ》を敷いた高台の細い道をビョンビョン飛び跳ねている。そのまわりには何人かの山伏《やまぶし》が神妙な顔つきで座っていた。

「何んだぁ⁉」

たぶんその時も思わず声を上げたに違いない。

説明を読んでみると〝神仏を侮《あなど》り、人の苦しみを喜んだ一人の男が、金峯山の山上から一度蛙となって修験者に救出されたという伝説による蛙飛行事《かえるとびぎょうじ》(毎年七月七日)〟とある。

「何んだぁ⁉」

オレは生れてこの方、一度も祭りに興味を示したことなどなかったが、〝蛙飛行事〟これはバリバリ琴線《きんせん》に触れまくりだ!

オレは無駄な努力と行動力には自信がある。じぇーったい! この目で確かめてみたくなったのだ。

前日、東京を発ち先《ま》ずは京都入り、そこから近鉄特急で橿原神宮前《かしはらじんぐうまえ》下車、一泊した後、吉野に向った。

吉野駅から金峯山寺の山頂まではロープウェイを利用したが、二十人も乗るとグラグラで一気に谷底まで落とされるような恐怖を味わわせて頂いた。

山道の脇の民家や土産物屋の軒下には、折り紙で作ったプリティなカエルがいくつもぶら下っていて祭りを盛り上げている。

蔵《ざ》王《おー》権《ごん》現《げん》像
カッコイイ!! めっちゃ怒ってる！
杖はハリガネ製
山道の土産物屋でゲットした役行者人形
せともの ¥1000
ハッキリ言ってめちゃコワイ
本尊は60年に一度御開帳の秘仏・一体 今度はいつ開けるんだ!?
カエルの解剖図
WHAT!?
KAERU-TOBI
ブオ
ガッシ
ガッシ
ヒィ〜
ヘナト....
汗だくっ!!
やっぱ真剣だ
蛙飛行事
うぅん どうかしてる！ スゴイ!!
どうやら着ぐるみがずってくるらしく何度も上げている

オレは将来、絶対オバハンになる男なので土産物屋を物色したくて仕方なかったが、時計を見ると一時から始まる〝大蛙の乗った太鼓台の出発〟というのが近づいていたので山道を急いだ。

金峯山寺の厳しい石段を駆け上り（ウソ）、ヘナヘナになりながらやっとのことで登り詰めると、目の前に蔵王権現像が安置されてる（らしい）蔵王堂が広がった。

祭り当日というのに境内は静まり返っていたが、オレは蔵王堂の前に組まれた十字架状のステージを見逃さなかった。

〝ハハーン、ここでヤツは飛ぶんだな〟

そう思うと笑いが込み上げてきた。

こちとら、それ見たさにはるばる東京からやって来たんだ。どれだけ飛ぶのか、しっかりこの目で見せてもらうぜ！

平日の午後、こんな所でそんなことを思ってる自分に対しても笑いが込み上げてきた。ま、せっかくだから秘仏の本尊は見られなくても蔵王堂の中は見ておこうと近づくと、すでに数人の客がステージ前に座り込んでいた。アイドルの世界でいうと〝出待ち〟と呼ばれるファンの一群だ。奴らもきっと本日のスターであるカエルがどれだけ飛ぶのか、誰よりも最前列で目撃したいと望んでいるに違いない。

〝早くカエルが見たいっ!!〟

時計は一時を回ったが、全くカエルが来る気配もない。出待ちのファンは相変らずのんび

この十字のステージで
奴は
飛ぶのだ！

き…来たっ！
奴は
御輿《みこし》に乗って
やって来た!!

り構えている。

〝ガーシ　ガーシ　ガ――シ〟

セミはけたたましく鳴いている。

オレはイラつき始め、お寺の人に聞いてみた。

「あ、蛙飛びはここで四時からやけど、御輿は山道で一時から。もうすぐやないの」

とアッサリ言われた。し…しまった!!　ここから御輿が出るのではないのかっ!

〝マズイ!!　これではオープニングを見逃してしまう!!〟

オレはやっとのことで登って来た石段を、今度はマジに駆け降りた。

〝ハァハァ　ハァハァ　ハァ……〟

切れる息、噴き出す汗。興奮を隠せないオレと、実に冷静なまわりの人々とのギャップ。

場所は山の中――。

そして遂にやって来た巨大蛙を乗せた御輿!

「飛んでみー!」

関西のヤンキーがよくカツアゲの時に使うセリフだが、オレは御輿の中で必死で重い頭を気遣うカエルに向って、そう叫んだ（心の中で）。

（後編につづく――）

蛙飛《かえるとび》行事の巻（後編）

カエルを乗せた御輿は、夢中でシャッターを切り続けるオレの前で大暴れ。ものすごーく揺らされているため、カエルの下アゴはバコバコ開いたり閉じたり、それは大変なことになっている。

〝もう、勘弁してケロ！〟

神仏を侮《あなど》り、人の苦しみを喜んだのはよくないが、もう許してやってもいいんじゃないか？　オレもどちらかと言うとカエル側の人間なので、つい同情してしまった。

オレの気持ちが通じたのか、御輿はゆっくりその場に降ろされ、担いでいた陽気《ハッピー》な人たちは汗を拭いながら道路脇でジュースを飲んだ。

しかし、カエルだけは狭い御輿台に乗せられたまま、ジュースは元より降りることさえ許されなかった。晒《さら》し者、いや晒しガエルだ！

オレはボー然とその姿を眺めていたが、〝今こそカエルを間近に見られるチャ〜ンス！〟と駆け寄った。しかし遠慮など屁のカッパのオバハンたちに行手を阻《はば》まれ、炎天下しばしの間プリクラ待ちの気分を味わわされた。

やっと順番が回ってきて、カエルとツーショットでカメラに収まろうとした時、前の女の人には握手のサービスがあったのにオレにはなかった。

〝選んでるんじゃねぇーぞカエル！　そんなことだからカエルに変えられちまうんだ！〟

オレは同情を撤回した。

数分の休憩の後、カエルを乗せたまんまの御輿はまたも担ぎ上げられ、さらにパワーアップした揺らしを加え、山道を登っていった。へっぴり腰で欄干にしがみつく、あぁ何て情けないカエルの後ろ姿よ。またも笑いが込み上げてきた。

この後が本番、オレが待ちに待った『蛙飛行事』が金峯山寺の本堂前で行なわれる。しかし時計を見ると、本番まで二時間近くある。オレにとっては単なるバカ映画に過ぎなかったが、もう一度『タイタニック』を見ても構わんぞ！　言ってみても、ここは山の中。相変らず風は止っている。オレは初めてこの無謀な旅を後悔し始めた——

前日泊ったホテルのタオル（失敬しました！）で汗を拭いながら、オレはまた本堂の前に行ってみることにした。

〝し…しまったっ!!〟

さっきまでパラパラの出待ちファンぐらいしかいなかったのに、例の十字架形ステージの脇はかなりの数の観光客が陣取っていた。

オレは長い間、無駄に時間を潰すということを忘れていた。いつだって行動には目的があったし、忙しさの中、自分を見失うぐらいの方が楽だと感じてきた。実はこの旅に出る数日前、つげ義春の『貧困旅行記』という本を読んで、ただ無目的に流されてゆく旅に憧れを抱《いだ》いた。何だかよく分らないが、〝わびさび〟というヤツは、そんなところにあるんじゃないだろうかって、バカなりに思った。

よし！　決めた。

オレは本堂石段に立つオバハンとオバハンの間からヌッと顔を出し、何が起ってもその場から決して動かぬ覚悟をした。

〝思えば遠くへ来たもんだ♬〟、別に好きでもない海援隊の歌の、そのフレーズだけが頭の中で何度も何度も鳴り響いていた――

本堂脇が何やら騒がしくなったと思うと、先ずはホラ貝を持った山伏が数十人現われた。

続いて、〝ワッショイ！　ワッショイ！〟の掛け声と共に例のカエルを乗せた御輿が登場！

相変らず下アゴをバコバコさせている。

石段にキレイに並んだ山伏が一斉に「ブォ〰〰ッ♬」とホラ貝を吹くと、カエルは初めて御輿から降ろされ、何と二本足で立ったまま十字架ステージに登った。

どうやら着ぐるみの中、パンツがずってくるらしく、何度も腰のあたりを持ち上げている姿が頓馬《とんま》だ。オレに笑顔が戻ってきた。

「ブォオ〰〰ッ　ブォオ〰〰ッ♬」

ホラ貝はその間も鳴り止まない。

カエルは二本足のまま十字架ステージをスタスタ先に進み、本堂石段上に鎮座する坊さんの前で土下座した。

「ブォオ〰〰ッ　ブォオ〰〰ッ♬」

早々とカエルを待つ、
いわゆる"出待ち"のファンたち

ヤマブシーズの登場だ！

吹き過ぎやちゅーねん！　何やらブツブツ坊さんがお経を唱えているらしいが、聞き取れない。

「ブォオ〰〰ッ　ブォオ〰〰ッ♬」

それに加えて、セミのヤケクソ鳴き。

「ガ〰シ　ガ〰シ　ガ――――シ」

受験勉強はここでは出来っこない。

飲み屋でのオヤジの説教も長いが、本家本元の坊さんはもっと長い。それを受けて何度も何度も頭《こうべ》を垂れるカエルの後ろ姿がプリティだ。今時のギャルなら「カワイイー！」と叫ぶところだが、ギャルはまわりに見当らない。

やっとのことで陽が落ち始めた時、カエルはまたスクッと立ち上がり、石段を降り、パンツを上げ、下アゴをバコバコさせ、元来た道をスタスタ歩いた。あまり強くなさそうなプロレスラーのようだ。

そして、もう一度パンツを上げる仕草をした後、カエルらしく十字架形ステージの端にチョコンと座った。

〝いよいよ奴は飛ぶな……〟

ホラ貝も鳴り止み、客のざわめきも止んだ。

「ガ〰シ　ガ〰シ　ガ――シ」

セミだけ状況を把握していない。

坊さんの説教に頭を垂れるカエル(プリティ♥)
ウニャウニャ
ウニャ
ウニャ〜〜
反省してるわりには態度がデカイぞ!
アンパンマンの後ろ姿みたい
誰も笑ってない
二本足でスタスタ歩くカエル
スタ
スタ
KAERU-TOBI
what?!
それは飛んでるって言わんでしょーが!!
うーん、やっぱりこれはどうかしている!
ズリ
ズリ
こりゃ怪獣界で言えばバルゴンの動きでっせ
大映映画「ガメラ対バルゴン」より
ズリ
ズリ

オレはカメラを構え、ファインダーの向こうにカエルを見た。その時っ！

〝ベタ　ベタ　ベタ〟

お…おいっ！　それは這《は》ってるだけじゃないか⁉

お…おいっ！　前足はともかく、後ろ足が全く飛び跳ねてないぞ！

〝ベタベタ　ベタ〟

カエルはフツー、〝ピョン　ピョン〟じゃないのか⁉　おいっ！　オレはその飛びを期待して、はるばる東京からやって来たんだぞ！

お…おいっ！

飛び方を忘れたカエルは、ファンの期待を外にまた石段を滑稽な姿で上り、坊さんの前で土下座した。

「ブォオ〰〰〰ッ　ブォオ〰〰〰ッ♬」

何事もなかったようにホラ貝がまた鳴り響いた。カエルは数人の男の手によって着ぐるみの頭部が外され、かなり歳のおっちゃんの顔が露《あら》わになった。〝どうも〟って感じで、体だけカエルおっちゃんは観客に一礼をし、本堂裏に消えていった。

〝お…終りだよね…これで。アンコールないよね……〟

オレは自分で自分に確認をとった。そして夕暮れ迫る山道を、何かに押されるように急いだ。

『奇祭・蛙飛行事』。ものの本にはそう記されていたが、プリティで何だかトンマな感じ。

オレはそんな祭りを今後、『とんまつり』と呼ぶことにした。

さぁ！
いよいよ飛ぶぞ!!
お…おいっ！
そりゃ降りてる
だけでしょ！
お…おいっ！
そりゃ這《は》ってる
だけでしょ！

笑い祭りの巻（前編）

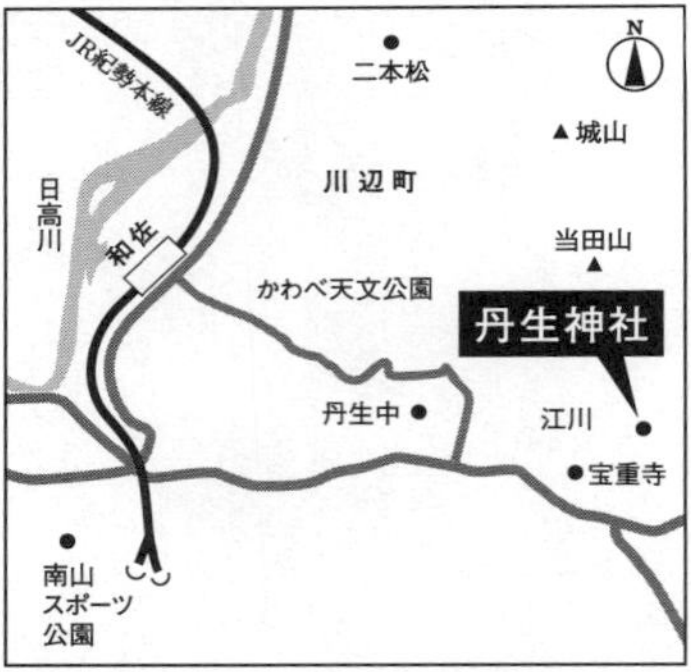

笑い祭り

開催場所　和歌山県日高郡川辺町江川　丹生神社
アクセス　JR紀勢本線和佐駅下車、車で約10分
開催時期　毎年「体育の日」直前の日曜日

【川辺町開発振興課】
〒649-1324　和歌山県日高郡川辺町土生160
電話　0738-22-1700
http://www.town.kawabe.wakayama.jp

（上記のデータは全て2004年6月現在のものです）

『とんまつり』とは？　その地域の人は毎年吉例の祭りであるので麻痺《まひ》しているが、その地域以外の人が初めて目にする時、思わず〝どうかしてるよ、コレ！〟とツッ込みたくなるような祭りの名称。「奇祭」と不気味な呼び方もあるが、オレはあえてその抱き締めたくなるようなプリティさを〝とんま〟と表現し、とんまな祭り、ちぢめて『とんまつり』と命名したのである。

この不思議の国、日本では今日もどこかの町や村で『とんまつり』がくり広げられている。そんなことを思うと居ても立ってもいられなくなるのがオレの性格、新宿の紀伊國屋書店に行ってドサッと日本の祭りに関する本をゲットした。オレは何かに夢中になる時、必ず無駄な努力と、無駄な量を必要とする。

その中の一冊『日本の祭り歳時記』(講談社)という本には巻末、一年間の祭り一覧表が付いており、オレは一月から十二月まで隈無《くまな》く〝とんまつり〟臭がする祭りを捜した。祭りの本というと、やはり青森のねぶたや京都の祇園祭などオーソドックスなものを紹介してあるのが大半だが、この本の信頼感は第一回目に紹介させて頂いた奈良・吉野の『蛙飛行事』まで記されていたところにある。

早く『とんまつり』が見たい！　その一心が通じたのか、オレは十月十日のところに〝どうかしてるよ、コレ！〟と思わずツッ込みたくなるような祭りを発見した。

その名は『笑い祭り』、説明は〝鈴振りの「笑え、笑え」の声に合わせ一同が大笑いする奇祭〟とある。サッパリ意味が分らん！　が、オレの求める『とんまつり』に違いないと確信した。

場所は和歌山県日高郡川辺町、丹生《にう》神社。

レッツ！　とんまつり!!　居ても立ってもいられないぜっ！

オレは前日の十月九日、東京を出発した。車中で〝笑い祭り〟について詳しく書かれた本を読んでみた。ファースト・インプレッションを大切にしたいため、あまり下調べはしたくなかったが、年に一度っきりの祭りを目撃するということは、こちらも真剣勝負で臨まなきゃならない。

〝先達《せんだつ》がユーモラスな白塗りの顔をして「笑え笑え」とはやしたてながら町を練り歩く〟

こういう場合に使われる〝ユーモラス〟は、それ以外に説明しようがないという意味だとみた。

〝由来は、出雲の神様の集りに寝坊してふさぎ込んでしまった丹生都姫《にうつひめ》の命を心配した村人たちが、姫を勇気づけたことに始まったと伝えられている〟とある。

例えば現実的な話、クリントン訪日のレセプションに、小渕さんが寝坊してしまい落ち込んでるところに「笑え笑え」と国民が囃し立てるような、もん？

例えば受験当日、寝坊してせっかくやった受験勉強も水の泡、落ち込んでるところに友達から「笑え笑え」の励ましの電話があったような、もん？　違うか？

他にも慰めようはあるだろう。無理矢理「笑え笑え」と強制するのは、どうかしてないか？　やっぱ。

そんなことを考えながら、大阪・天王寺から阪和線・紀勢本線スーパーくろしおに乗り換えた。体育会系の学生団体が何輛も席を占めていたので、オレは仕方なく便所の前の通路に座り込んだ、こんなことは何十年ぶりだろう？　ツーンとくるアンモニア臭を嗅ぎながら、オレは何だか青春の真っただ中にいるような気がした。でも旅の目的は、あくまで『とんまつり』観賞！

その神社のある駅は和佐《わさ》駅といった。和歌山駅から一時間ぐらいの所だ。当初、和歌山に宿を取ろうと思っていたのだが、どこも満室。後で考えると、例の毒入りカレー事件で報道関係者が占領していたに違いない。そんな時期にあって、「笑え笑え」は大丈夫なのか？ちょっと心配だぞ、和歌山。

オレは仕方なく和佐駅を通過し、そこからさらに一時間ぐらいある白浜で一泊することにした。

白浜には京都に住んでいた頃、親に連れられて行ったことがある。でもかなり小さな頃の記憶なのでハッキリしたことは覚えていない。

もうすっかり夜を迎えた駅前は閑散としていた。一軒だけ辛《かろ》うじて電気のついた土産物屋《みやげものや》に飛び込んだオレは、ここ二、三十年その位置を全く変えていないだろうと思われるユルイ土産物に夢中になった。長年にわたりジワジワと退色していったであろう白浜の紙袋や、絵ハガキ・セット。部屋のどこに置けば似つかわしいのか？　貝細工人形。水森亜土の昔からこの場所に居ついているのだろう状差しなどのファンシー・グッズ。オレすら手を出せないままのパールだるまや、木彫りの天狗面。この不思議の国、日本ではすでに博物館状態の土産物屋が平気で営業を続けている。気が付けば誰に喜ばれるでもない土産物（もらってもちぃーともうれしくない土産をオレは〝いやげ物〟と呼んでいる）で、手が一杯になっていた。たぶんこの土産物屋は、ここ数か月、店を閉めてもやっていけるだろう。

駅を降りてすぐ、もちろん観光地も見ずに土産物だけ買ってるオレを不審に思ってか、「にいちゃん、今夜泊るとこあるんけ？」と、駅前に止めたタクシーの運転手が聞いてきた。夜中の温泉街での土産物漁《あさ》り、オレの旅は、はたから見れば単なる不審旅行だ。

タクシーに案内してもらい結構豪華なホテルに一泊したオレは、目覚しも使わず次の朝五時ぐらいに起きた。ガイドブックによると『笑い祭り』は朝の八時から開始とあったが、募る想いがオレの瞼《まぶた》をこじ開けたに違いない。何か受験生のような気持ちで朝食を取り、居ても立ってもいられず予定より一時間も早くホテルを出た。

紀勢本線を昨日とは逆に乗り、和佐駅へ。駅前からタクシーに乗り「笑い祭りまで」と告げた。もうこの地では、そんなセリフもおかしいことではない。期待に胸を膨らませ窓の外を必死で見ていると、十分ぐらい行った道に〝笑いの里〟という旗を発見した。そんなステイタスを主張しているのは、吉本興業とここぐらいのもんだ。

タクシーは何の変哲もない国道沿いに止った。

「あの橋から練り歩きますんで」

運転手の指さした橋には、何本も大きな旗が風に棚引いていた。

橋の上にのぼり旗っ！

サイケな
未確認動物《UMA》
発見っ！

畔道《あぜみち》を
どんどん
進む！

〝御祭儀〟〝和佐〟〝丹生神社〟〝丹生大明神〟、旗に書かれた筆文字の中、〝笑い祭り〟を見つけた。遂に来た！　という実感がオレの体を震わせた。

まだ一時間以上も前というのに、かなりの見物人が集っている。きっと祭り通は、本番前のリハから見るものなのだ。オレの五時起きは間違いではなかった。

もうすでに祭り囃子が聞える。オレは後れを取るまいと、汗ばんだ手にカメラを握り締め小走りになった。

橋の袂《たもと》の小道には、ほぼ同じファッションをしたカメラオヤジたちが犇《ひしめ》き、場所取りに必死だった。中には木の上に登り、枝をボキボキ折って無理矢理三脚を立ててるカメラオヤジもいた。

奴らの祭りに懸ける情熱は、只者《ただもの》ではない。祭り囃子の練習（リハ）を続ける若者たちに、ポーズの指示まで与えシャッターを切るそのパッションはどこからくるものなのか？　怒張した奴らの太いズームレンズに、オレはしばし圧倒された。

道の脇に置かれた御輿《みこし》、鬼や天狗の面をかぶった人たち、そして祭り旗。周辺をうろついてみたが、これじゃフツーの祭りと変らない。〝どーかしてるよ、コレ！〟と、心の底から思えるものはどこにも見当らなかった。『笑い祭り』、そのタイトルのインパクトと、短い説明だけを頼りにここまでやって来た。オレは早朝の冷たい風に吹かれ、少し後悔をし始めた――

その時っ！　その時っ!!

カメラオヤジIN祭り
オバサンも兼用出来る帽子
ショルダーバック
ポケットいっぱいベスト
ポーチ
ゆるゆるジーンズ
もちろんズーム！
木にまで登ってカメラオヤジ
橋の上から祭りを見る人たち
笑い祭り
丹生神社
何もそこまでしなくても…
WARAI-MATURI What!?
笑え笑え
登場!!
カメラオヤジも必死!!
ハッキリ言ってこれはヤバイ!!
ヘー
ヘー

橋の上にサイケなものを発見した。目の醒《さ》めるような赤！　黄！　ピンク！　青！　その色の集合体は橋の後ろに見える深い緑色の山と同化出来ずにいた。

「あ……あれは何だっ！」

見物人の中で見え隠れしている未確認動物《UMA》！　オレは雪男を見つけた探検隊のように、人込みをかき分け橋に向って走り出した。もちろんオレだけではない。数人のカメラオヤジも全力疾走だ。こんな時のために日頃の運動は大切だと痛感した。

ハァハァ息を切らせながら橋の上にたどり着いた時、その未確認動物は付添い人に手を引かれ、国道を横切るところだった。

背は低い。赤い頭巾《ずきん》と赤・黄・青の縞模様のチャンチャンコ。腰帯はドピンクだ！　首からピンク色のマフラー状のものをしているのが分る。ズボンも真っ赤だ。こんなカッコは全盛期のRCサクセションだってしてないぞ！

〝もっと、もっと！　近距離で見たいっ!!〟

手には大きい鈴のようなものを持っている。もう一方の手では木箱を抱えてるぞ！

背中に、(笑)と書かれた文字が見える。

〝もっと、もっと近くで……〟

未確認動物（いや、どうやら老人のようだ）は国道脇の階段を降り、田んぼの畔道《あぜみち》に出た。もうこれ以上、追いかける勇気はオレにはない。国道を横切り、向こうの橋の欄干に身を乗り出すようにして下を凝視した。

笑え笑え!
突如、
笑い出したっ!

笑え笑え!
コ…コワイ…

〝うわぁ〜〜っ！　顔が白塗りだっ!!〞
しかもバカ殿のようにマユ毛は太くたれ下り、目は上下に陰毛のようなマツ毛が描かれ、両ほっぺには赤い絵の具で〝笑〞と書かれている！
〝うわぁ〜〜っ！　どうかしてるっ!!〞
もう一度、
〝うわぁ〜〜っ！　どうかしてるっ!!〞
うわぁー！　目と目が合った。すると、その怪人は大きく口を開け、目を一本の線にして、
「笑え！　笑え！　アッハハハ!!　笑え！　笑え！　アッハハハ〳〵」
と、大笑いし出した。
「笑え！　笑え！　アッハハハ!!　笑え！　笑え！」
〝と……突然、そんなこと言われても……〞
オレの全身に電流のような衝撃が走った。
〝コ…コワイ……〞

（ワクワクしながら、後編につづく）

笑い祭りの巻（後編）

オレは橋の欄干、落ちそうなぐらい身を乗り出し、怪人に向けてシャッターを切り続けた。オレのまわりでも自称・日曜カメラマン、他称・カメラオヤジのシャッターが、かなりの有名人の記者会見風に切られ続けている。

怪人はそれを受けて田んぼの畔道に立ち尽し、何やら呪文のようなセリフを唱え、そして何十回目かのサービス笑いを披露した。

でもそのパフォーマンスはいつ終ればいいのか？　やる側はただ笑い続けているだけで、見る側もどこで拍手をして終らせてあげればいいのか？　両者小康状態がしばし続いた。

「笑え！　笑え！　アハハハハハハハ」

〝チュイーン！〟〝チュイーン！〟（シャッター音）

「笑え！　笑え！　アハハハハハハハハ」

〝チュイーン！〟〝チュイーン！〟〝キュルキュルキュルキュル…〟（コレ、三十六枚撮りが巻き上る音）

この状態にタオルを投げたのは、怪人を畔道に連れ出したポロシャツ姿の付添い人だった。〝ポンポン！〟と背後から肩を叩かれ、怪人は笑いの途中であったが、サッとその表情を堅くした。かつて『朝まで生テレビ』で見た、突然怒りだして、突然真顔になる大島渚監督のパフォーマンスに似ている。

〝チュイーン！〟

笑ってる顔も怖いが、無表情にこのメイクもソートー怖かった。

怪人はまた来た道を、付添い人に肩を押されながら進んだ。オレはこの時、初めてカメラのファインダーから目を離した。

〝ハァハァハァ…〟

オレはやっと冷静さを取り戻し、とっても興奮していた自分に気付いた。

それでも怪人から目を離すことが出来なくなってしまったオレは、小走りに追跡。遂に橋の上に上って来た怪人と第二種接近遭遇を果たした。

〝近づいてくる！　近づいてくる！〟

どうすればいいんだ!?「こんちは」って声を掛けるのも何だか変だろ？

それでもどんどん〝近づいてくる！　近づいてくる！〟

マズイ!!　目が合ったっ!!!

怪人はまたも聞き取れない呪文のようなセリフをモゴモゴやりながら、たった一人のオレに向って、

「笑え！　笑え！　アハハハハハハハハハ」

とやった。

もはや今のオレには何の対処も出来ない。

〝えーい！〟とばかりにオレも、歯茎ムキ出し（放っといてくれ！）にし、

「アハハハハハハハハハ〝まだ続けるか？〟ハハハハハハ……」

とやった。

オレもとうとうこの『笑い祭り』の参加者になったのだ。しばし怪人とオレだけの笑い声が橋の上に響き渡った。

〝よう、長髪の若いニィちゃん。なかなかいい笑いっぷりだ〟

認めてくれたのか、やっと目線を外した怪人は御輿《みこし》の置いてある納屋の方に移動した。

〝ハァハァハァ…ハァ…〟

オレはもう感動してんのか、恐喝からやっと逃れた安堵感か、気持ちが整理出来ないままその場に立ち尽していた。

〝ザザザッ〟

気が付くとカメラオヤジたちの移動も始まり、何やらまわりが騒がしくなった。いよいよ祭り本番か！

笛や太鼓の音も本格的になり、鬼の面や天狗の面をかぶった人たちがどこからか現われ、先ほどいた橋の袂の小道では獅子舞いが始まった。そう広い範囲ではないが、いろんな場所で動きが見られるので、オレはどこに立っていればいいのか分らなくなった。

〝ザザザッ〟

カメラオヤジも同様だ。

でもオレはすでにフィルム二本以上、それも怪人アップで押えていたので、何か一仕事終えたような満足感を味わっていた。

〝もうこれ以上のことは起らんだろ〟

ヤ…ヤバイ
こっちに来る！

あんなとこで休んでる！

タバコに火を点《っ》け、秋空に煙を吐いた。その時である！　橋の下、今度は畔道じゃなく川原にリラックス座りをしている怪人を発見！

ちょっと目を外したスキに怪人は、祭り関係者たちと少し遅い朝食を取っていた。

「まぁ今日一日は大変やな、あんたも」

「いやいや、こんな名誉な役。がんばらしてもらうがな」

（この会話はオレが橋の上で勝手に想像したものである）。

あまりのファッション＆板に付いた笑いっぷりに、オレは当然毎年あの人（と言っても誰か分らないが）が笑い怪人役をやっていると思っていたが、ここに来る前、川辺町のポスターで見た人は印象が違った。不気味さの点では一切変らなかったが、ポスターの人は丸顔だったのだ。

ということは、毎年この町の『笑い祭り委員会』が、「今年は酒屋の○○さんにやってもらうか」と赤紙を発布しているのかも知れない。

「おじいちゃん、遂に来たで、あの役」

中には静かに余生を送りたい人もいるだろう。孫にせがまれ『ピカチュウげんきでちゅう』を買って、優しいおじいちゃんと呼ばれたかったかも知れない。しかし、そんな落ち着いた余生計画も〝あの役〟で水の泡。清志郎が歌う『パパのうた』じゃないが、〝祭りのジィはちょっと違う♬〟ってことになっていないか？　心配だぞ！

オレは川原に行って、祭り関係者と怪人がどんな会話を交しているのか聞きたくて堪らな

笑い祭りの仲間たち
KISSのみなさん
バカ殿様
笑うせぇるすまん
ア〜ア
ドーン!
WARAI-MATURI
What?!
素
ずーと笑ってるわけじゃない。たまに素にもどる。でも、また突然このよーに……コ…コワイ
アハハハハ
こんなとこに鳥居のマークが!
ガバッ
うわあ〜
悪夢を見る
ハア… ハア… ハア…
あれからオレは……

くなった。第三種接近遭遇への欲望である。

オレは川原に降りる仮設されたユラユラの橋を渡った。もちろん出来ることなら怪人との2ショット写真（第四種接近遭遇〝コンタクト〟）も押えたかった。

〝ジャリジャリ　ジャリ〟（これ川原を進む音）

怪人はまわりの紋付袴姿の人たちと何やら楽しそうに喋っている。あの異常に作った笑い方は出ない。極自然《ごく》、でもあのファッション＆メイクのまま、やっぱ変。

オレの存在に気付いたのか、怪人は一瞬目をくれた。怪人からしたら、長髪サングラス、さっぱり年齢の分らぬオレの方が怪人に映っているかも知れない。

〝ジャリジャリ　ジャリジャリ〟

もう会話が聞き取れる距離にオレは立っていた。しかしどうもよく聞えないのは、怪人が口からスッポリ入れ歯を外しているせいだ。

「モゴモゴモゴ　モゴ　モーゴ」

もうこうなると怪電波。

怪人は手に柄杓《ひしゃく》を持ち、横に置いた樽《たる》から酒を酌んでいる。入れ歯の無い洞窟のような口に勢いよく酒が入っていく。

「アハハハハ」

うれしそうだ。いや、ヤケクソなのか？

オレはしばしストーカーのように怪人の行動を見つめていたが、取材魂！にめざめ（誰の

あの人じゃないぞ!?

やったぁ!
2ショット!!

ためだ？　オレのためだ！）、勇気を出して怪人の背後に回った。

「モゴモゴ　モーゴ」

これには怪人もビックリ。怪人の振り向きざまに、

「いっしょに写真撮ってもらえません？」

と、オレは陽気な若者風を装った。

「撮ったったらえーがな、えーがな」

まわりの人も気さくなマネージメント。オレの「笑って下さいね」の申し入れに、写ってないのに全員大笑い。その間、怪人は入れ歯をはめた。アーチストはイメージが大切だからね。そして遂に手に入れた怪人同士（いや、怪人との）2ショット写真!!　かつて、小学生時代からの憧れだった奥村チヨさんと2ショットして以来の感動！

オレはもう『とんまつり』を「どーかしてるよ！」とツッ込む側ではなく、『とんまつり』をこよなく愛する立場でいた。

「がんばって下さい！」

「モゴモゴ　モーゴ」

何をがんばるのかも分らないオレだが、体育会系の爽《さわ》やかな風を感じた。

そして、いよいよ本番は始まった。御輿の置かれた納屋の前、笑いの怪人を先頭に勢揃いした笑い軍団。「笑え！　笑え！」の掛け声と共に、橋の上を練り歩き、橋の袂の小道をズンズン進む。

「えいらくじゃ〜〜〜　笑え！　笑え！　アハハハハハハハハハハハ」

入れ歯は入ってる。やっと聞き取れた〝えいらくじゃ〟

オレはテレビ画面の端、マラソン中継になると必ずいっしょになって走ってるバカな見物人のように必死で笑い軍団を追った。もちろんカメラオヤジもいっしょだ。

それを見守る道の脇に立った人たち。笑い軍団は容赦なく笑いを強要していく。

「アハハハハハハ」

あの顔で見つめられたら笑うしかない、〝でしょ!!〟。オレはちょっぴり先輩面でそううなずき、笑い軍団に混じって町を練り歩いたのだった。

尻振り祭りの巻

尻振り祭り

開催場所　福岡県北九州市小倉南区　井手浦公民館
アクセス　ＪＲ山陽本線小倉駅からＪＲ日田彦山線に乗り換え、石原町駅下車。車で約10分
開催時期　毎年１月８日

【小倉南区役所まちづくり推進課】
〒802-8510　北九州市小倉南区若園5-1-2
電話 093-951-4111（代）
http://www.city.kitakyushu.jp/~kokura-minami

（上記のデータは全て2004年6月現在のものです）

『尻振り祭り』、そのネーミングを聞いただけでオレは居ても立ってもいられなくなった。

「本当に『尻振り祭り』って言うの！」

昼下りのみうらじゅん事務所。ガラス窓の向こうに寒そうな都庁が見える。オレには分らない諸問題ってヤツを抱え込んでいるのだろう。しかし、オレにとって今、大問題なのは『尻振り祭り』。その存在を教えてくれた若き編集者は、豹変《ひょうへん》したオレの熱中ぶりに目をシバシバさせ、

「確か『尻振り祭り』だったと思いますが」

と、口調を弱めた。

期待させといて「違いました」では済まされない。オレはもう『尻振り祭り』じゃないと困る！　とまで詰め寄った。

「じゃ、どこよ？　どこでやってんの‼」

「うちに帰ればそれが載ってた本があるんですが……確か新潟だったと思いますけど……」

思いますけどじゃ困るんだ！

「じゃ、いつよ？　いつやってんの‼」

「一月ぐらいだったと思いますけど……」

も、もう！　じれったいっ‼

「帰ったらすぐＦＡＸくれる？　絶対だよ！」

オレはその編集者が今日、何の打ち合せでやって来たのか、すっかり忘れてしまっていた。

「必ず送りますから」

玄関先で靴をはく彼に向って、

「ぜっ絶対ね！　じぇーったいっ!!」

と叫んだ。

その後すぐ彼は肺炎にかかり入院した。まさかオレのせいではないだろう。しかしこれで当分の間、『とんまつり』であろう『尻振り祭り』の情報は途絶えてしまった。オレは自力で調べる決心をし、新宿・紀伊國屋書店のそれらしいコーナーの前で、それらしい本を捜した。マスコミで騒がれる大ブームを外に、どっこい祭りに関する本がやたらたくさん出ていることに驚いた。

オレの見たい祭りは祇園祭りやねぶた祭りなどのデートにも利用出来るよーな祭りではない。「おい、おい！　どーかしてるぜ、この祭り」と、関西人ならずともツッ込みたくなる祭り。そう、祭りマニアの間で〝奇祭〟と呼ばれてるヤツだ。オレの目に飛び込んできた『日本の奇祭』（合田一道著、青弓社）、たぶんそれが若き編集者が言っていた本に違いない！　オレはその場で飛び上りたいくらいうれしかった。

載ってた！　載ってた!!　『尻振り祭り』、彼が教えてくれた通りそのネーミングはバッチリとんまだった。要約すると、〝村人の掛け声と共に神主が尻を振る〟祭りらしい。

『尻振り祭り』と聞くと、その昔〝お立ち台〟なんて言葉が流行《はや》ってた頃のジュリアナのTバック・ギャルを連想する。

Ｔバックの代りにフンドシ姿のセクシー神主ってことか？　そりゃ見なきゃ、でしょ！　日は一月八日、場所は九州の小倉と記されていた。

その足で若き編集者の見舞いに行った。

「すいません……新潟じゃなかったっスか」

そんなことで若者にすまなそうにされて、大人げないオレは少し困った。

「がんばってね！　オレもがんばって尻振り行ってくるからさ」

何の慰めにもならない見舞いゼリフを残し、オレは病室を後にした。

〝九州となると、五時間ぐらいか……〟、オレは出来ることなら一生、飛行機に乗らないで死にたいと思っている輩《やから》なので、新幹線時間で計算した。『とんまつり』が見られるなら何の苦労もない許容時間だ。そして今回はどうやらアクションものらしいので、カメラよりビデオだろうと、ヨドバシで最新型のハンディカムを購入した。ハッキリ言ってオレは必死なのだ！

一九九九年、正月、浮かれた正月番組も正常に戻り、いよいよその日がやってきた。東京駅から新幹線に乗り込み一路、小倉へ。少し寝たが、起きてる間中〝尻振りというが、どこまで振ってくれるのだろう？　何分ぐらい振ってくれるのだろう？〟と思いを馳せた。そうこうしてる間に山口県を通過、海底トンネルに入った新幹線は、何と！　銀世界の小倉駅に到着した。

〝思えば遠くへ来たもんだ～♬〟

またも好きでもないのに武田鉄矢の歌声が頭の中で流れ出した。ひょっとして好きなのか？　この歌。

そこから未《いま》だに発音出来ない〝日田彦山線《ひたひこさん》〟という汽車に乗り継いだ。勢いだけでここまで来たけど、車窓の風景がどんどんとんでもない田舎に移り変っていくのを見て不安になってきた。目的地である石原町駅に降り立つと、人っ子一人いない無人駅にギョッとなった。年に一度の尻振りじゃない、駅前にも〝ウエルカム尻振り〟の看板とかさぁーもっとパァーッと陽気にしてくんなきゃ！　淋しいじゃないの、これじゃー。

閑散とした駅前には、生気のないタクシーが一台、ポツンと止っていた。水木しげるの漫画じゃ、必ず妖怪が運転してるよーなカンジ。でも、それがせめてもの救いだった。

「あのぉー、『尻振り祭り』に行きたいんですけど……」

恐る恐る聞いてみたら、

「あぁ、公民館」

と、アッサリした答えが返ってきた。どうやら、『尻振り祭り』は公民館で催されるらしい。至って無口なタクシーは時折強く降り出す雪を切ってグングン山道を登った。

「帰りはどうしたらいいんでしょうねぇ」

オレの実家がある京都は、タクシーに乗ると聞きもしないのに運転手が勝手に観光案内を始めるケースが多い。しかしここでは『尻振り祭り』の話題をする雰囲気は全くない。無言で渡されたタクシー会社の名刺が今、オレの命のホットラインだった。

道路脇、駐車場のように開かれた広場に二十人ぐらいの人が見えた。

「電話で呼んでもらえればまた来ます」

イノシシに股がって帰るのだけは勘弁だ！

タクシーを降りると目の前に〝公民館〟とは名ばかりの、フツーの民家が建っていた。広場では二ヶ所で焚火をしており、人々は吹雪《ふぶき》の中、半ば諦めたような表情で冷え切った体を寄せていた。

祭りにつきもののカメラオヤジの数も少なく、この広場で待たされているのはこの村の住民だけだと思った。オレは寒さに耐え切れず〝見慣れねぇ顔だな〟という視線をバリバリ感じながら、ジリジリと焚火に近づいていった。

〝思えば遠くへ来たもんだ～♬〟オレはやるせなくなると、この歌を口ずさむクセがある。

三十分近くそこに立っていると、ロケバスで乗りつけたテレビ局の人間がドヤドヤ公民館に入って行った。

〝チャーンス到来っ!!〟

オレは焚火連中から離れ、堂々とした足取りでカメラマンの後ろにピッタリと付き、何食わぬ顔で公民館に入った。

靴を脱ぎ、かじかむ足で部屋に上ると中央に祭壇が見えた。いい感じで暖房も効いている。ラッキー!! 外で待つ人々の気持ちなんて何のその、リラックスしてそのまわりに座ってる人々は、親戚レベルのＶＩＰ待遇。台所からは何やらうまそうなニオイが漂っている。オレはカメラマンが三脚をセットしている横で息を潜めじっとしていたが、オバサンに見つけられ「ここは報道の人しか入れないのよ」と注意された。またあの吹雪の広場に逆戻りか、そう思うとオレは後ろめたさのカケラもなく「報道です」とすんなり嘘をついた。

しばらくして神主（たぶん尻振り役）が現われ、祭壇の前で祝詞《のりと》を唱えた。オレは神主がいつ何時《なんどき》尻を振ってもいいように左手に最新兵器であるビデオ、右手にズームを利かせたカメラを持ち、チャンスをうかがっていた。〝オレはとんまつりハンター！　どこからでもかかってきやがれってんだぃ〟

しかし極《ごく》フツーの儀式が延々続くだけで、肝心の〝尻振り〟はピクリともしない。結局その場はオレのジラされ負け。報道関係者がゾロゾロと退場するので、仕方なくオレもまた寒空の下に放り出された。

それから一時間余り、公民館の動きを気にしつつ焚火前、オレは修行僧のように立っていた。時折、公民館から「酒がねぇーぞ！」と気性の荒い男の声が聞えてきた。どうやら中は祭りの前の宴会が催されているようだ。天国と地獄、でも酒に酔わないとやってられないぐらいの尻振りを見せてくれるのだろうとグッと我慢した。尻はやっぱり丸出しだろうか？いや、フンドシぐらいはしてるだろう。尻、しかも男の尻をここまで期待したことはオレの人生、一度もない。

「どうやら祭りは三十分延びるらしい」

公民館の小さな噂《うわさ》が焚火連中に広がった。

淋しい広場でただ待つ
焚火だけが救いだぜ

テレビ局の女子アナも
尻振りさせられている
こっちの方が
いいぞ!

雪は降る お尻はこない♪

〝ジラすなぁー、もう〟

ガタガタのブルブル、『八甲田山』『シャイニング』『生きてこそ』、オレはかつて見た極寒映画を思い浮かべ〝まだまだオレなんて大したことはない！〟と己れを励ました。

噂通り三十分延長後、公民館からゾロゾロ人が出てきた。広場の中央にインスタントの祭壇が設けられ、それをとり巻く感じで茣蓙《ござ》が円形に敷かれた。〝ハハァーン、円形ステージか！　神主は尻を振りながら廻り寿司状態だな〟

オレはワクワクした。

左手ビデオ、右手カメラのフル装備完了！　みんな一斉に焚火から離れ、円形ステージかぶり付き！　〝おいっ！　オレの前に立つな‼〟どこの土地もオバハンはルール無用のあつかましさ。ステージである茣蓙にズカズカと踏み込んでいる。〝負けるもんか！〟ここまでジラされちゃーオレも黙っちゃいないぜ！

そして遂に尻振り神主登場！　その後に続く村の役人たち。祭壇の前に正座し、またもや祝詞を上げた。〝もう今度は待った無し！　頼んだぜ尻振り〟

神主立ち上った。右と左に分れ、お供のような二人も立ちはだかった。もちろんオレらの方に尻を向けている。〝どうする⁉　尻をまくるのか？　その下はフンドシか？　えっ⁉　まくらないの？　そのままなの？〟

お…おいっ！

「左！　右！　左！」

"尻振り"といえば……
スキがあったらどっからでもかかってこんかい!
岡八郎(フロム吉本新喜劇)
荒木師匠
Tバック……
尻振りと聞いてイメージするもの、オレの場合元・関西人なので岡八郎(通称・オカハチ)の演技。それと当時、行ったことはないけど、お立ち台ギャルでしょ。やっぱ!
SIRIFURI
What?!
お笑いなのか? セクシー(?)なのか? ハッキリしない!
押さんといてぇ〜なぁ……
ハンディカム→
必死でんがなオレ……
眼→カメラ
右っ!!
左っ!!
うう〜ん…でも、
ぜ〜
かしてる
ことだけは
確か!

一斉に村人たちの掛け声が上った。それに合せ神主とお供の者、尻を振った。〝三回振っただけでおしまい？　え〜〜〜っ!!〟今度は円形茣蓙ステージをそれぞれが移動し、

「左！　右！　左！」

お…おいっ！　また三回だけか？　変化はないのか？　それだけか？

それだけだった。その後、祭壇に用意された的《まと》を太い木で作った弓で射ったりする儀式はあったが、オレが期待してた、わざわざ東京から見に来た〝尻振り〟は、それだけだった。酒でも飲まないとやってられないほど恥ずかしく振るんじゃなかったっけ？

それはオレの勝手な想像であった。『とんまつり』じゃないじゃんコレ！　それはオレの勝手な思い込みであった。

そして残った言葉、

〝どうする？　これからオレ〟

オレはコートのポケットにクシャクシャになって入っていたタクシー会社の名刺を広げ、携帯電話のありがたさを知った。

〝ビュー　ビュー〟

言葉で聞き取れるような吹雪の中、オレは一目散にその場を立ち去った。『尻振り祭り』、ちょっとそのネーミング、期待させ過ぎじゃないの？　帰りの新幹線は、修行のような道のりであった。

左!
右!
左!
お…おいっ!
それだけか?

おんだ祭りの巻(前編)

おんだ祭り

開催場所　奈良県高市郡明日香村　飛鳥坐神社
アクセス　近鉄橿原線・南大阪線橿原神宮前駅下車
開催時期　毎年2月の第一日曜日

【明日香村役場】
〒634-0111　奈良県高市郡明日香村岡55
電話 0744-54-2001(代)
http://www.asukamura.jp

(上記のデータは全て2004年6月現在のものです)

世間的にはどう思われているか知らないが、到《いた》って上品な家庭で育ったオレは昔から〝陽気な性〟ってヤツが苦手である。

高校時代、中間・期末テストが終るとまるで自分への御褒美《ごほうび》のように通っていたポルノ映画館。三本立ての中には必ずギャグ・ポルノという作品が混じっていて大層気分を損ねたもんだ。エロは陰湿でなければいけない！　陽気な性への反発からオレはいつしか団鬼六のSM映画シリーズにのめり込んでいった。

上京して生れて初めて先輩に連れていってもらったストリップ。迫《せ》り出したステージに踊子さん登場。オレはかぶりつきの席で「はい、どうぞ！　はい、見て！」と股間を近づけられ、〝うーん、オレの望むエロじゃない〟と、うつむいてしまった。

今でこそ、〝どーかしてるよコレ〟というセンスを人一倍楽しめる人間に相成《あいな》ったが、やはり上品出身なオレはことエロに関しては「ガハハ」と、笑って済ませられないところがある。

それは温泉街に多発する〝秘宝館〟であり、ノーパンしゃぶしゃぶであり、俗にフーゾクと呼ばれ、山本晋也カントクが多発しそうな地帯のことである。オレはそれはそれでおもしろいと譲歩するが、エロをそんなに陽気に扱ってはいけない！　という信念は未《いま》だ消えてはいない。

オレは下品な発言こそするが、それは恥ずかしさの裏返しであり、ロックにあるアンチ精神だと思っている！（ま、要するに陰湿エロオヤジなわけですな）。

さて、そんなオレが今回見に行ってきた祭りは、奈良の明日香《あすか》（飛鳥）の『おんだ祭り』。『尻振り祭り』のように名前こそインパクトはないが、「天狗とお多福のリアルな夫婦和合の〝種つけ〟。使用した紙は、〝フクの神〟で子宝に恵まれる」（『日本全国お祭りさがし』さの昭著、今日の話題社）とある。お…おいっ！　どーかしてるよこの祭り!!　すなわち『とんまつり』。オレはそのリアルな夫婦和合が見たくて堪らなくなり二月の第一日曜日、近鉄京都駅から橿原神宮前《かしはらじんぐうまえ》行きの電車に乗った。強い日差しが車窓から飛び込んできて、目を開けているのも辛いぐらいだった。よりによって、こんなポカポカ陽気の日に陽気な性を見せつけられるなんて、あぁ『とんまつり』よ！　オレの信念まで曲げてしまうつもりなのか。

車中を見渡すと、胸にポケットいっぱい、背中がメッシュで出来ているカメラマン・ベストのオヤジがたくさん乗っていた。宇多田ヒカルのかぶっているのとセンスこそ違えど、綿の帽子は祭りカメラオヤジに必需品。天狗の鼻のようなズームのカメラをうれしそうに触っている。たぶん各地の祭り現場（場所取り必死）で顔見知りになったのだろう、同志たちが何やら会話を交している。

「どうですかねぇ、今年の『おんだ』は？」

「夫婦和合シーンを押えるにはやっぱり左サイドからでしょう」

「今年の私は全体像を生かした広角レンズで狙《ねら》おうって考えてますがね」

「お互いフェアプレイでがんばりましょう」

たぶんそんな内容なのかな、橿原神宮前に着くとカメラオヤジは急ぎ足で改札口を飛び出していった。

一体オレとカメラオヤジの違いはどこにあるのか？　ベストこそ着てないが帽子に首からカメラ、手にはビデオカメラまで持っている。どこから見ても、誰が見たって〝同志〟じゃないかっ!!

ま、待ってくれっ!!　オレもその祭りが撮りたいんだ!!!

駅前からギューギューのバスに乗り込み一路『おんだ祭り』開催地、飛鳥坐神社《あすかにいますじんじゃ》へ。バスは隣接した民家との細い道を、まるでボブスレーのようにすり抜け進んだ。

降り立った場所は飛鳥寺の前。ここには飛鳥大仏の名で親しまれている釈迦《しゃか》如来《にょらい》坐像《ざぞう》が安置されている。小学生時代から仏像が好きで何度か訪れたことがあるが、まさかこの近くに『とんまつり』が存在するなんて知らなかった。

民家の軒下に〝天下の奇祭　おんだ祭〟の貼り紙が見える。オレは頭の中で反復してみた〝天下の奇祭…天下の…天下のって、と――んでもなく『とんまつり』って意味だよね！〟自慢してるコピーなわけだ。オレは逸《はや》る気持ちを抑えつつ、少し早足で参道を進んだ。日曜日の午後とあって近所のガキたちが露店に群がっている。だんご三兄弟はまだ普及していないが、水墨画のような村に一際《ひときわ》ピカチューのイエローが目に眩《まぶ》しい。たぶん鼻クソをほじったそのままの手でリンゴアメや綿菓子を食っているんだろう。分ってんのか!?　これからここでどんな祭りが催されるのか。

「お母ちゃん、ベビーカステラこうてぇーなぁー！　なぁーって！　こうてぇーなぁ――」

いいダダも、悪いダダもあるもんか。道を塞いだガキにイライラしていると突然！　天狗の面をつけた男が先割れした青竹を持って現われた。そしてガキの尻めがけて一撃！　もう一撃!!

〝パシーン！　パシーン!!〟

必死で逃げるガキを追い回し、またも〝パシーン!!〟いいぞいいぞ、その調子だ天狗。教育というものは体から教え込まなきゃね。叩かれるガキを遠くに見つめ、シャッターを切ろうとしたその時！　〝パシーン!!〟、オレの脹《ふく》ら脛《はぎ》に激痛が走った。

「い…痛いじゃないか！」

ふり返ると無表情な天狗が立っていた。そ…そりゃオレだって悪いことはした。いや今もしているかも知れん。でもな、そこは大人の考えがあっての……〝パシーン!!〟、ケ…ケンカ売っとんのか!?　あたりを見回すと、いい大人たちも天狗に一撃を食らわされている。

〝加減せーちゅうねん！〟オレは納得いかないまま鳥居をくぐり、痛い足を引きずって石段を登った。

するとそこにも青竹を持った、今度は翁《おきな》の面を被った男が容赦なく見物人の尻を〝パシーン！　パシーン!!〟と叩いていた。

オレは出来る限り存在感を無くし、人込みの中に紛れ込もうとした。しかしその後ろめたい態度が逆に、翁の目に留ってしまったようだ。しばし翁との間に緊張感が走り、ヤンキーにカツアゲされた中学生のように、オレの体は硬直した。

いいぞ！天狗
教育は体罰からだ！

マ…マズイっ!!
翁と目が合ったぁ！

う〜ん、
陽気な
性グッズ

「ウォーッ！」

対抗出来る武器はない。オレは仕方なく肩から下げたカメラで応戦、シャッターを切った。〝大人同士じゃない、話せば分るって〟

次の瞬間、オレの尻に激痛が走った。〝だからぁー、加減せーちゅうてるやろ!!〟

リアルな夫婦和合に魅せられここまで来たが、こんな難関が待ち受けているとは知らなかった。オレはもう、どっからでも叩きやがれ！　と開き直り、堂々とした足取りで参道を進んだ。

ふと横に目を移すと、長机が並べられその上に何やらグッズが並んでいる。オレは性格がオバチャンなので、今日の記念品をゲットしたくて堪らなくなった。よく見るとそれらは土で出来たストレート！　直球ド真ん中!!　モロ出しのチンチン鈴であった。とうとう姿を現わしやがったな、陽気な性！

売っている人はみな女性で無表情。「いらっしゃい！　どうですか？　おチンチン鈴。よう出来てまっしゃろ！」なんて愛想されるのも困るが、この女性たちは神社に対しセクハラを訴えないのだろうか？

「すみません、コレとコレとコレ」

オレは正式商品名〝珍々鈴〟と〝ちんちん鈴〟（色と形が違うもの）、そして飲み口にちんちんが付いた〝女夫盃《めおと》〟を購入した。

さらに進むと境内の一角に木戸を取り外したオープン社《やしろ》が見えた。もうすでに見物人は二

牛は歩く時、劇団四季のライオンキングのように四つんばいだ
牛
天狗
翁
木
おんだ祭りのスリーアミーゴス
えー、夫婦和合の種つけ儀式はー
ナイス・トーク神主！
ピンマイク
ここから飲むらしい
女夫盃
1300円
珍々鈴(茶)
珍々鈴 六〇〇円
ちんちん鈴 六〇〇円
どう違うわけで・コレ
ちんちん鈴(デカ)
ミカン
顔オカメのホラー
ONDA what!?
遂に登場!!
御ヨッ!
あ～ん
カバ過ぎやちゃーねん!
見えねえぞ!!
どう見ても男の手だ!

百人以上は集っており、社を見降ろせる高台にもビッチリ、フナムシのようにカメラオヤジが貼り付いていた。オレは右サイド、オバハンやガキが油断して喋ってるスキにジリジリと進み、ステージ前に張られたロープから大体二列目の席を確保した。もちろんオール・スタンディング。

ショーが始まる前から会場はいやが上にも盛り上っていた。

一時をちょっと過ぎた頃、はっぴ姿の威勢のいい男女五人がステージに上り、オープニングを告げる太鼓を披露した。ロープ前には〝飛鳥坐神社〟と書かれた腕章を巻いた報道関係者が陣取り、オレのまわりのカメラオヤジからは「見えへん！　そこどけ!!」と非難の声が上っていた。

次にステージに登場したのは、先ほどオレの足と尻を叩きやがった天狗と翁、そして牛。両手に木を持って腰をかがめている。まるで劇団四季の〝ライオンキング〟のノリだ。その三人、いや二人と一匹は無口にステージをグルグル回り出した。ま、リアルな夫婦和合ショーの前座的な役割とみたね。そして二人と一匹はしばしアトラクションをし、ステージ後方に下った。

いよいよ神主登場。毎年のことなのでファンの期待は熟知している様子。胸に付けたピンマイクに顔を寄せて、これからこのステージで行なわれる天下の奇祭についての軽いトークを始めた。

「まだ用意が出来てない？　そうですか、もう少し私の話を聞いて下さいね」

ライオンキング風
牛、
グルグル
回る！

お…おいっ！
白昼堂々
キスかましっ!!

まるで公開番組の前説のノリだ。

「豊穣を祈るということで、その源である夫婦和合の儀式を毎年とり行なっているわけですが――」

「一応何らかの説明はしてもらっておかないといきなりじゃねぇー、客も引くでしょ。

「それでは用意が出来たようなので始めます」

観客から大きな拍手が巻き起り、絶妙トークの神主はステージ左脇に下った。

会場の後方からざわめきが起り、人垣をぬって天狗とお多福が遂に登場した。いよいよだっ!! プロレスだとここで激しいテーマ曲が流れるところ。天狗とお多福ペアーは仲睦まじく肩を抱き、ステージに上るやいなや何と！　キスをかましたではないかっ!!

やる気マンマン！　会場は異様な雰囲気に包まれた――

（後編につづく――）

みうらじゅんの
わびさびたび
おんだ祭りの巻 後編
よく分からない
う…こりゃシャレにならんっ!!
激しく振っている
ただニヤニヤしてる
ずっと笑ってる

おんだ祭りの巻（後編）

オレはそれを『抱きつき市場』と呼んでいるのだが、街のあらゆる所で抱き合う若いカップルたち。人目など全く気にしていない様子で、いつまでも愛を確かめてらっしゃる。この現象はここ数年のことで、オレが東京にやって来た二十年前にはまだ市場化していなかった。

一時期、東京駅の最終新幹線が〝シンデレラ・エクスプレス〟と呼ばれ、地方に帰ってゆく恋人との別れを惜しんでホームの柱の陰、抱き合ってる姿が頻繁に見受けられた。しかしそれはまだ、ヨーロッパやイタリア映画のラスト・シーンのように共感する余地があった。

昨今の『抱きつき市場』には共感どころか、〝世界はおまえらのために回ってるんじゃねえんだぞー〟と、腹立ちすら覚える。それはいつの間にかオレが、オヤジ側に立ってしまっていることだけじゃないだろう。日本人本来の照れや奥床《おくゆか》しさ、決して人前では見せることのない感情の高ぶり。それがかつてプライドと呼ばれていたものじゃなかろうか？

「何したっていいじゃない！　だって愛し合ってるんだモン!!」

愛し合っていれば何をしたっていいという主義。一体、どの政治家が国会で決めたのだ!?

一体日本は、いつからアメリカ人のような陽気な性を取り入れたのだ!?

奈良・明日香、『おんだ祭り』のハイライト・シーン。天狗面をつけた男と、お多福面をつけた女（中は男）が白昼堂々、舞台に上るやいなや何百人の観客の前で〝ブチュ〜ッ！〟と、キスをかました。かつての小柳ルミ子&賢也、今でいう川崎麻世&カイヤなら、もう仕方がないと目をつぶるところだが、日本古来のキャラがこれじゃ先が思いやられる。客席からは「よっ！　御両人!!」という、これまた陽気な掛け声。会場はしばし大爆笑に包まれた。

オレはたぶん一人で戸惑っていた。田舎者でも都会人でもない、中途半端なオレの立場。陽気な性を嫌悪しつつ、そのとんまなおかしさに魅せられてゆく自分。あぁエロとエロス、『とんまつり』と奇祭、日本に生れながらにして観光外人気分という微妙な間で、オレは戸惑っているのだ。

どうやら舞台の上では翁面をつけた男が仲介となり、天狗とお多福の婚礼の儀式が始まったようだ。〝結婚前はA《キス》まで〟というルールなのだろうか?

今度はお多福が高く盛った飯茶碗を差し出した。するとどーだ!　天狗は立ち上り、手に持った竹筒を男根に見立て、何度も何度も〝もー分ったよ!〟と呆《あき》れるぐらいシゴキ続けた。「よっ!　デカイぞ!!」「うらやましい!」、オレは舞台前に引かれたロープの二列目ぐらいに立っていたので、ストリップ・ショーまがいの陽気な掛け声を背中で聞いた。

天狗はノリノリ、一人ステージ中央に立ち、若さに任せた腰振りを披露している。そしてその竹筒に酒を注ぎ、キヨシロー歌うところの〝バッテリーはビンビンだぜ♬〟状態で高盛り飯にぶちまけた。『汁かけ』の儀式、流石《さすが》の観客もこのパンク行為には息を飲んだ。

さて、いよいよ本番!(この祭りの場合、生々しい)天狗&お多福のカップルがステージ中央、おっ!　またキスをかましている。今度は街中の抱きつき市場キスではなく、これから行なう前戯としてのキスだ。鼻もビンビン、股間の竹筒もビンビンの天狗が、最後の優しさを振り絞ってお多福を床に寝かせた。お多福は当然のことながら終始、不気味な笑顔のままだ。

「よっ！　待ってました!!」

どうやら先ほどから同じ声。昼から酒に酔った男がいい調子こいているようだ。でもそれが、これから人前で笑えない行為をする二人にとって唯一の救いでもある。

天狗は黒紋付を着たお多福の胸元を開け、ビンビン鼻を押し付けている。ハッキリ言ってもうシャレにはならない。オレの前で見ていた子供から「なぁ、お母ちゃんあれ、何やってはんの？」の質問が飛び出した。お母ちゃんは、まわりの観客からその答えが期待されていることも知っている。「黙って見てなさい！」そう無意味に叱るしかなかった。

胸から次第に下に降り、天狗はお多福の赤い腰巻きに手をかけた！　あぁ、もはや誰も奴らを止めることは出来ない。

「がんばってや！」

またあの酔っぱらいだ。救いの笑いが会場に広がる。

お多福の足をグッと開き、遂に天狗は上に乗っかって（しまった）。おっと！　天狗が観客に向い、Vサインを出した。〝一体何に対してのビクトリーなのか!?〟、オレもお母ちゃんに聞きたいところだ。

股間の位置に竹筒を握りしめ、天狗はグッと挿入ポーズ。そして先ほど見せた自慢の腰振り、いやぁーこれはシャレにならんっ!!

「お母ちゃん、何か差し込んだはるで」

陽気過ぎるぜ性教育！　この村の子供は一体、どんな大人になっていくんだろう。

ビ〜ン
ビ〜ン
ビ〜ン
ビビビ〜ン!

すると舞台後ろに座っていた翁が何を興奮したのか、飛び出してきて交わる二人の上に股がった。〃さぁ、やれ！〃〃もっとやれ！〃って風に天狗の腰を押している。もうわけがサッパリ分らん世界に突入！　よく見ると翁も天狗もズボンの尻に穴が開いている。意図的なのか、無意識なのか？　それもサッパリ分らん！

〃い…いかん！　呑まれてしまっている!!〃

オレは必死で冷静さを取り戻すべく一眼レフのファインダーを覗いた。〃お…おいっ！　もっと左にズレろよ！〃、まるでその報道関係者の頭で肝心の交わり部分が見えない。〃お…おいっ！　そこをどけ！　報道関係者はあの部分を隠すモザイク状態で立っていた。

「おいっ！　そこのデブ、どけ！」

オレのまわりの同志（カメラオヤジ）からとうとう罵声《ばせい》が飛んだ。こんなことでケンカをするのも大人げないと思うが本来、祭りとは高血圧気味なものである。

天狗はそれを察したのか、お多福を抱き上げ今度はオレたちにもよく見える位置で再び『種付け』の行為をした。しこたま腰を振った後、天狗は立ち上り懐から何やら紙を取り出した。そして己れの竹筒をキレイに拭き、まだ余韻が残っている様子のお多福の股間にも紙を当てがった。うーん……、リアル過ぎてシャレにならんっ!!　もうオレの前の子供は途中で飽きて、どこかへ行ってしまった。

二人は仲良くその、あの、要するに拭き終った後の紙を手で丸め、何と！　観客目がけて投げつけてきたではないか!!　ハッキリ言って、そんなことをするカップルは無軌道過ぎる。

ポイ
ONDA
What!?
今なら
ティッシュ
拭くの紙
福の神
うーん駄ジャレかぁ～
天狗は事が終ると
ピースサインを送った。
ラブ&ピース！ジョンとヨーコの思想なのか？
LOVE & PEACE
ワー
ワー
アソコを拭いた紙を
奪うように取り合う
観客も、
どーかして
るよ…
ポイ
天高く 明日香の里に
紙が舞う
わぁ～～っ!!
パンク行為!!
ワー
ワー
ワー
豊穣
プレイ!!

いや、もーどーかしてるとしか言い様がない!!

観客はワーという奇声を発し、その、あの要するに拭き終った紙を奪うように取り合っている。こっちサイドも、もー！　どーかしてるっ!!

オレは必死で左手はビデオカメラ、右手は一眼レフでその様子を追っていたが、飛んできた紙が頭に当った。中を開けると小さな餅が入っていた。後で調べたところ、この使用済みの紙は『拭《福》く の紙《神》』という〝ボキャブラ天国〟レベルの駄ジャレが含まれていた。

激しかったショーも終り、〝よくやった！〟という温かい観客の拍手に送られ二人は寄り添いながら舞台を後にした。天狗はサービス精神が旺盛で、帰り道客に声を掛けられると高く右手を上げVサインを出していた。〝その姿、かってどこかで見たことがある……〟、そうだ！　死ぬまでラブ&ピースを唱え続けたジョン・レノンとヨーコ・オノ。彼らはこの『おんだ祭り』を知って、一九六九年平和を訴えるベッド・インをしたのだろうか？　いや、考え過ぎだなこりゃ。

興奮醒《さ》めやらぬまま境内をブラついていると、高台の方でザワザワと人の動きが見えた。どうやら天狗とお多福がまだいるらしい。オレは青竹を振り回す翁や牛に注意しながら、駆け足で高台にあるお宮に向った。

するとそこにはファンに取り囲まれたお多福の姿があった。天狗はたぶんまた青竹チームに戻り、帰り客を〝バシーン！　バシーン！〟叩いているのだろう。

「ねぇ、私にも紙ちょーだい！」

お…おいっ!
見えないぞ
モザイク処理か!?

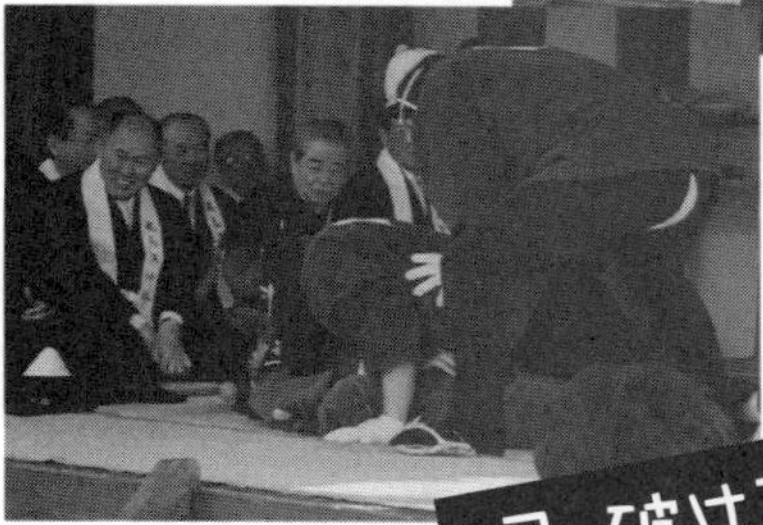
尻、破けてるゾ

お多福とオレは
お似合いか?

「私にも紙！」「私にも紙！　紙!!」

オイルショックの時、トイレットペーパー不足でスーパーに行列が出来て以来の騒ぎだ。お多福はついさっきまであんなハードな行為をしたとは思えない態度で、懐から出した紙を人々に配っていた。

「キャー！　私もいい？　早く早く！」

今度はお多福とのツーショット撮影会の始まり。この状態は絶対、女の方が有利。だってお多福といっても、正体は男だからだ。腕を組む女、日光江戸村のニャンまげのように飛び付く女。カメラオヤジたちは悔《くや》しいけれど、遠まきにその状況をカメラに収めるしかなかった。

しばしの騒ぎが収まった時、オレはゆっくりお多福に歩み寄り「すいませんツーショット、いいですか？」と申し出た。

「ああ」

野太い男の声が、終始笑顔のお多福面の奥から響いた。オレは心の中のオバチャン・パワーを全開にして、とんまつりスターとカメラに収まった。

嫌悪し続けてきた〝陽気な性〟を目の前に、オレはすっかり陽気になってしまっていた。

気がつくと、明日香の村を西日が照らし始めていた――

姫の宮 豊年祭りの巻

みうらじゅんの
わびさびたび
姫の宮 豊年祭りの巻
うううん…シュール過ぎで理解不能…
これはもうヤバ過ぎの口の形
姫の宮

姫の宮　豊年祭り

開催場所　**愛知県犬山市　大縣神社**
アクセス　**名鉄小牧線楽田駅下車**
開催時期　**毎年3月15日直前の日曜日**

【犬山市観光協会】
〒484-0086　愛知県犬山市松本町4-21
犬山国際観光センター・フロイデ内
電話 0568-61-2825
http://www.inuyama.gr.jp

（上記のデータは全て2004年6月現在のものです）

オレは大縣《おおあがた》神社の鳥居の脇に立ち、露店で埋め尽された商店街さながらの長く伸びた参道を見下していた。いつものようにオレのまわりには、ほぼ同じファッションで身を包んだカメラオヤジたちが己れのテリトリーを確保し、三脚を立てている。

三月十四日、その日は朝から夏のような強い日差しが照りつけ、〝祭り日和〟と呼ぶに相応《ふさわ》しい一日だった。オレはTシャツの袖をまくり上げ、カメラオヤジの中ではヤングを強調したが日陰に入ると二の腕が少し寒かった。長髪にサングラス、ハデなロックTシャツ姿ではなかなかこの世界には溶け込みにくい。オレもそろそろ背中がメッシュ地のカメラマン・ベストを入手すべきか？　オレもそろそろこれからの人生を〝余生〟と考えるべきなのか？　そんな地味なことを考えていると参道の下の方が何やら騒がしくなった。どうやら祭り開始！　オレの胸は高鳴った。それはもちろん、どれだけトンマ度を発揮してくれるか、それに対して興奮しているわけだ。

この『姫《ひめ》の宮《みや》　豊年《ほうねん》祭り』に関しては、ほとんど資料はない状態、名古屋の知り合いから聞いた「チンチン祭りの前の日に女の方の……、言いにくいけど通称『おそそ祭り』ってのがあるだがや」という怪情報のみで乗り込んだ。場所は名鉄名古屋駅から犬山線急行に乗り、犬山駅下車。小牧線に乗り換え楽田駅、そこから徒歩で二十分ぐらい。〝ああ、思えば遠くへ来たもんだ♬〟、またもオレの心に武田鉄矢の歌声が……。

遠くの方から何台ものトラックが、ゆっくりゆっくり登ってくるのが見えた。おっと、待て！　先頭は白いオープンカー、神主が二人後部座席で大きく手を振っている。それに続いて今度は巫女三人が登場だ！　ギラギラした日差しが黄金の冠にキラキラ反射している。笑顔だ！　これ以上はないといった満面の笑顔で手を振り続けている。これから神主チームと巫女チームに分れてリングに上るような、全日本プロレス全盛期を彷彿とさせる登場だ！　ハッキリ言ってオレはその予想だにしなかった光景に動揺していた。思わずオープンカーの巫女チームに手を振るオレ。

さぁ！　次は軽トラック軍団。もうこの世のセンスと思えない垂れ幕&幟旗《のぼりばた》をどっちゃり搭載した大漁船タイプのデコレーション・トラック（通称・デコトラ）。

〝やっぱりイナバ百人乗っても大丈夫！　イナバ物置〟とデカデカ書かれた垂れ幕、そして姫の宮キャラなのだろうお多福の顔アップ・イラスト。お…おいっ！　よく見ると口の部分がモロ女性器じゃないかっ!!　思春期の人間にはキツイ、ちゅーねん！　バタバタバタ〜〜、風に揺れてる左右四本の真っ赤なお多福旗。〝生きるって何なのか？　オレのアイデンティティは一体、どこにあるのか？〟、バタバタバタ〜〜この場所で深刻に悩める人はいないだろう。

あぁ次々に現われるトンマを通り越したシュールたち。今度はトラックの荷台に巨大恵比《えび》寿《す》面二つ。それを背に何と！　花嫁衣装を着た女の人が〝私に理由を聞かれても知りません〟とばかり澄ました表情で座っている。『瀬戸の花嫁』は小舟に揺られ、はしだのりひことクライマックスの『花嫁』は夜汽車に乗って嫁いでいったが、これじゃドナドナの仔牛状態じゃないか！　おっ、観客に向って手を振り始めた。背筋はピーンと伸ばしてる。国会に

神主チームの入場です!

巫女チームに大きな拍手を!

な…何だぁ!?

無表情で
手を振る
恵比寿花嫁

出馬する花嫁議員ってカンジだ。

さぁ次なるトラックには、巨大ハートのオブジェが積んである。いや、ハートにしては形が変だぞ。真っ赤なウインナー・ソーセージのようなものを折り曲げたようなもの。何だぁ？　ソレ。その上に白い犬の置き物が寝そべっている。もうサッパリ訳が分らん！　そのシュール左甚五郎的作品の前にも〝私に理由を聞かれても知りません〟顔の花嫁。お…教えてくれよ！　頭がパニックになってきた。トラックはそんなオレをあざ笑うかのようにゆっくり目の前を通過していく。

今度は水車をバックに花嫁が現われた。もう分ったよ。頭で考えることの愚かさを教えようとしているんだな。スターウォーズ的に言うと「フォースを使え」ということか。

そしてとうとうオレの目の前には、シュール・トラックの真打登場！　旗の絵にもあった例の口元モロ過ぎお多福が、巨大な立体オブジェとしてやって来たヤア！　ヤア！　ヤア！　あれは決して宍戸錠的なホッペタじゃない！　目から下は桃のようなオシリを表現している。間違いないっ！　そこまでは分ったが、またもやそのオブジェを背に花嫁が座ってる。ルックスは今までで一番好みだ！　今度は透明なビニールに覆《おお》われた箱の中に入っている。花嫁ビニール栽培！　何なんだっ!!　彼女だけは〝ちょっと理由が分ってるのよ〟的なアルカイック・スマイルを浮かべている。「ま…待ってくれっ!!」

その後も男たちをギューギューに乗せた観光バスが何台も続いたが、オレはシュール・トラックがどこに消えていったのか気になって追いかけてみた。もちろんカメラオヤジたちも

HIMENOMIYA What?
何じゃそりゃそりゃ わけ分らん!!
とんでもないオカメの巨面をバックに微笑む花嫁姿の女性
うーん…どーかしてるぜっ!!
もっと…への こだわり
ヘルシーにビューティフルにこだわってみたい
次々に現われるとんでもないトラック軍団!
姫の宮 豊年まつり
神社前の土産物屋で売っていたもの
ドピンク!
ブラック
誰がナメるねん!! こんなアメ
何でパンティまで売ってんねん!!
もうメチャクチャなグッズ
オレ、いつものように必死!!
シュールル過ぎっ!!
奉納
姫の宮 豊年祭
施主 春日井市農業協同組合

必死で、三脚を小脇に抱え走り出した。

するとと境内横、かなり広い駐車場にシュール・トラック総結集。花嫁を乗せたまま特撮ヒーローの撮影会のようにズラッと横並びしているではないか！

「恵比寿花嫁！」

「ウインナー花嫁！」

「水車花嫁！」

「お多福花嫁！」

「みんな合せて〝子授《こさずけ》戦隊ホーネン・シスターズ〟よ!!」

オレは勝手にそういうことにした。

やっぱりオレがお気に入りなのは〝お多福花嫁〟、カメラオヤジの人気も高く、トラックのまわりは黒山の人だかり。荷台の花嫁に向ってシャッターの砲弾！　オレの位置からはちょうどバックのお多福の口が花嫁の肩あたりにある。ハッキリ言ってエロチーック！

「ねえ、おねえちゃん！　どうしてお嫁になんかいっちゃうんだよ」

「それはね、あなたも大人になったら分るわよ」

大人になって分ったこと、女の人もエッチが好きだってこと。そんな理由でいいのかい？お嫁にいく理由はそんなことでいいのかい？　教えてくれよ、おねえちゃん！

ビニールに覆われた箱の中、お多福花嫁はオレに目線をくれた。そのアルカイック・スマイルが君の答えなのかい。

何なの!?
ねえ、
教せーてぇ!

巨大お多福と
ビニールの中の花嫁

アルカイック・スマイル!

撮影会も終り、介添人に手を引かれトラックの荷台から降りたホーネン・シスターズは神主を先頭に大縣神社の本殿までパレードをした。オレは右手にカメラ、左手にビデオという昨今の〃どんまつりスタイル〃で後を追った。夢の中にいるような、シュールな祭りが終ってもオレはしばらくの間、ボー然としていた。この異様な雰囲気をうまく人に伝えることが出来るのか？　今のオレには自信がない。

境内を出たところに土産《みやげ》物屋発見！　オレとしたことが、夢中で今まで気が付かなかった。店に入ると傘立てのような壺《つぼ》に何十本ものチンチン飴がささっていた。きっとこんなキノコが生えていたら毒キノコに違いない！　今日はこれから名古屋の知り合いに会う約束をしていたので、自分のも含め二本ゲット！　店の奥に進むと、そこは秘宝館レベルの品揃え。チンチン土鈴、チンチン徳利、チンチン煎餅、チンチン饅頭、世界の下着、四十八手ハンカチ、性に関する陽気なグッズたちが所狭しと陳列してあった。ハッキリ言って女の方の形を模したグッズはシャレにならない。こんなキーホルダー、どこにブラ下げるねん！　思いつつも数点ゲットした。

「そこに置いてあるのはサンプルですので、もっとキレイなモノ、出してきますよ」

うーん、もっとキレイなモノを出す…ってねぇ。店員さんよ、あなたは完璧にセンスが麻痺《まひ》しちゃってますよ！　コンビニ風のビニール袋、もう少し大きな袋はないものなのか？　誰が見ても、どう見てもチンチンとハッキリ判別出来る飴が二本、ニョッキリ顔を出している。オレは仕方なくそれらをリュックに詰め、〃今、事故にだけは遭いたくない〃と思いなから朝来た参道を戻った。

「明日はどうやら雨らしいんで、御神体もビショ濡れだろう」

名古屋に向う電車の中で、初老のカメラオヤジたちが明日行なわれる田縣《たがた》神社のチンチン祭りの話をしている。

「滑りが良過ぎるのもなぁーアハハハハ」

バイアグラに真剣に頼る年代に入っても、男はいつだってエロ話だけは現役でいたいものらしい。下品な笑いが車中に響き渡る。

〃御神体もビショ濡れ〃

オレは背中にどっちゃりエログッズを背負っていることも忘れ、その妙に心に残るフレーズを何度もつぶやいた。

田縣《たがた》祭りの巻

みうらじゅんの
わびさびたび
田縣祭りの巻
TOO BIG!!
玉さすり賽銭いれて珍となる
どこもかしこもチンだらけ…

田縣祭り

開催場所　愛知県小牧市　田縣神社
アクセス　名鉄小牧線田県神社前駅下車
開催時期　毎年3月15日

【小牧市観光協会】
〒485-8650　愛知県小牧市堀の内1-1
電話 0568-76-1134
http://www.kanko.city.komaki.aichi.jp

（上記のデータは全て2004年6月現在のものです）

その夜オレは名古屋・栄《さかえ》のプリンセス大通りを少し入った所にあるオカマ・バーにいた。

「みうらちゃん、お久しぶりィ～！　いつから名古屋来とるのォ～」

カウンター越しに〝ケンちゃん〟が鼻にかかったカン高い声で聞いてきた。名古屋に来た時は必ずこの店に行くので、もう胸に付いた名札を見なくても大概のオカマの名前は覚えてしまった。

「今日さ、犬山市でやってたとんでもない祭りを見てきたよ」

「ねぇねぇ、それって女性器祭りでしょ！　イヤねぇ—、そんなもの見にはるばる東京から来たのォ～」

カウンターの中には四、五人のオカマが入っていて、それぞれ客を接待していたが、

「ねぇ、みうらちゃん。あんなもの見に行っとったのォ～。本当、悪趣味ねぇ—」

と、〝コースケ〟まで会話に寄ってきた。

「巨大なお多福の面がトラックに乗っかってんだけど、口の部分がモロ女性器なわけよ！」

オレは今日見たあのシュールな光景をうまく伝えようと、その口の形までマネしてみた。

「こぉーんなカンジ、こんな！」

「やめてよォ～もう！　みうらちゃんって本当、お下品！」

この人たちに寄ってたかって言われる覚えはないが、この人たちはあくまで心は女なので、女性器話に関しては敏感に嫌悪する。

「そうかなぁ—、すっごいおもしろかったんだけどなぁ……」

オレはこれ以上何を言ってもエロオヤジの上塗りをするだけなので、差し出された水割りで口を塞いだ。

「そうだ！　お土産買ってきたんだ」

リュックから一本、例の飴を取り出すと、向うのカウンター越しから、

「うわぁー！　理想型!!」という奇声が飛んだ。ケンちゃんは溶け出すんじゃないかと思うほどチンチン飴を強く握り締め、「私はもっと大きい方がいいわぁ〜！」と叫んだ。

再び店内に活気が漲《みなぎ》った。

オレはホッとして明日（三月十五日）、またもや犬山市付近で催される『田縣《たがた》神社　豊年祭り』の話をした。

「オチンチンのお祭りでしょ！　当然、知ってるわよ。去年、この店の従業員と見に行ったんだけど、ものすごい大きいオチンチンの御輿が練り歩くのよ！　ものすごいんだからぁ」

店内にものすごい活気が漲っている。

「ねぇねぇ、明日みんなで見に行こうよ！」

オレはオカマとあれやこれや言いながら行くオチンチン祭りにワクワクした。ＪＴＢや近畿日本ツーリストはまだ気付いてない企画だ。

「でも行かなぁーい。だってオカマが大勢で行くとみんなから冷かされるんだもん」

何を言われようと笑いに転化しなきゃなんない宿命を背負いながらも、オカマの気持ちはあくまで女心。オレは友人として好きな彼ら（彼女？）にそれ以上無理押しすることはやめ

た。淋しそうなオレを気の毒に思ってか、「それに明日、どえりゃー（たくさん）雨が降るそうよ」と、付け加えた。

昨夜言われた通り、その日は朝から強い雨が降っていた。再び名古屋駅から犬山線に乗り、犬山駅から小牧線に乗り換えた。重く垂れ込めた鉛色の空と、雨を含んでドス黒くなったアスファルト。オレは田縣神社に向う道で、〝果してこんな状態で、陽気なオチンチン祭りが催せるのだろうか？〟と不安になった。

田縣神社は二車線ある大きな道路の脇に、レストランや喫茶店と並んで建っていた。もうすでにかなりの見物人が傘と共に境内を占領し始めている。

とりあえずオレは本殿横の社務所の軒下に避難することにした。

「トゥー　ビッグ！」

「オー！　マイ　ガーッット！」

耳に飛び込んでくる中学生程度でも分る英語。あたりを見回すとやたら外国人が多い。彼らは社務所の前に展示してある豊年祭り絵ハガキのサンプルを指さして驚きの声を上げているのだ。

後に聞いた話だがどうやらこの祭り、ＣＮＮでも放送されたことがあるらしく、毎年これ見たさに外国から観光客がドッと来るらしい。

オレは別に地元が京都だからといって誇りに思って言うわけじゃないが、観光外人に見せるには祇園祭や時代祭程度がほどよくないか?

日本で見た唯一の祭りが、〝ビッグ・コック・フェスティバル〟じゃ、あんまりじゃないか? それともオレと同様、海の向うでも〝ファニー・フェスティバル《とんまつり》〟が大ブームなのか!? まさか、ね。オレももちろん外国人に混じって絵ハガキセットをゲット!

「ただ今、御輿《みこし》は御旅所《おたびしょ》を出発しました」

境内に放送が流れた。とうとう奴がやって来る! 〝ズンズンズンズンズンズンズン♬〟オレの頭の中で突然『ジョーズ』登場のテーマ曲が鳴り響き出した。

しかしオレは今、現場に着いたところで奴が一体どこからやって来るのか分らない。〝このままじゃ食われてしまう!!〟いや、相手は巨大なオチンチンだ。

「すいません、御旅所というのは――」

社務所の人に聞いてみると、御旅所はここから七、八百メートル離れた神明社という所なので、御神体が到着するまでにはまだ四十分ぐらいかかるということだった。〝ズンズンズンズンズンズン♬〟、ホッと胸撫で下ろすオレ。祭りってヤツは何せ年に一回のことだからこっちも必死になる。

少し心の余裕が出来たので境内を散策することにした。本殿向って左脇、絵馬が掛かったエリア奥が何だか怪しいとみた。ぬかるんだ道を進むと、あるわ! あるわ! チンチン系。先ず絵馬からしてチンチンの焼き印でしょ、願いは〝子宝に恵まれますように〟。それでいいのかも知れないけど、何かが麻痺《まひ》してないか?

うれしそうに
触る
外国人

チン
だらけーっ!

こんなところにも
チンが…

ここもかっ!!

参道脇に立った石柱。まるでムーミンのニョロニョロのようだが、ここにはメルヘンはない。全《すべ》ての石柱がチンの形をしている。賽銭《さいせん》入れも左右に巨大な金玉石、真ん中にはチン石。その横に〃玉さすり賽銭入れて　珍となる〃、まさか芭蕉の句碑じゃあるまい。試しに十円を入れてみると、どこからか「チーン！」という音がした。あぁ、オレは何のために生れ、何のために生きてるんだ⁉　人生の疑問がドッと押し寄せた。

〃いかん！〃こんな所で立ち尽している場合ではない。奴がやって来る時間が迫っている。オレはカメラオヤジの動きを追って、神社前の大きな道路に飛び出した。遠くの方から御輿を担ぐ人々の掛け声が聞えている。もうすぐそこに奴はいるんだ！

一車線は長いロープが張られ通行止めとなっている。〃いかん！　急げ‼〃、人々の傘を縫ってオレは奴がやって来る方向へ走った。

道路脇には見物客がビッシリ。立ち並ぶマンションの住民も窓から体を乗り出している。

その時！　傘と傘の間から薄オレンジ色のどう見ても、どう弁解しても始まらない巨大なオチンチンがヌーと現われた。

デカイにもほどがある！　先端は雨に濡れてテラテラ光り、もう言い逃れ出来ないヒワイさが、改造車なんて目じゃないレベルで道路のド真ん中を突進してくるではないかっ！

お…おいっ！　家族みんなで見ているマンションの住民よ、子供はファミコンやらせとけって！　ヤバイ‼

何だぁ‼　デカチン御輿の前を悠然と歩く数人の巫女さん、手には五十㎝ほどのチンを子

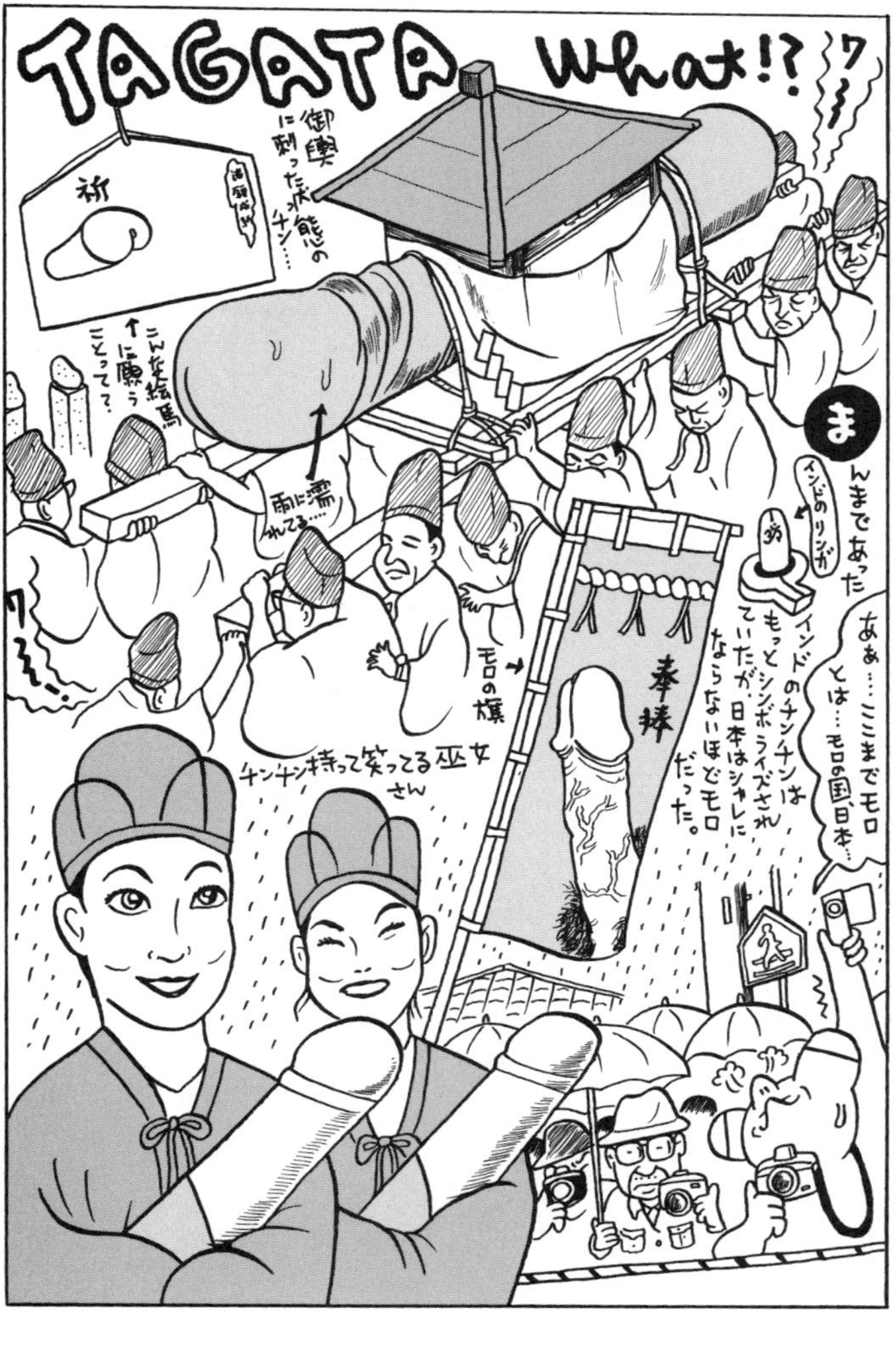

TAGATA What!?
ワ〜
御輿に刺った状態のチン……
祈
↑こんな絵馬に願うことってて。
雨に濡れてる……
モロの旗
奉棒
チンチン持って笑ってる巫女さん
まんまであった
インドのリンガ
インドのチンチンはもっとシンボライズされていたが、日本はシャレにならないほどモロだった。
ああ……とは……ここまでモロ
モロの国、日本…
ワ〜〜…

供を抱くように持っている。〝キ…君たち！　そこで何をしてるんだぁ!?〟後頭部がピリピリ痺《しび》れてくるのが分る。思わずシャッターを切ると、巫女さんは満面の笑顔を浮べながら空いた手を大きく振った。サービスである！　チンを持った巫女さんが手を振ってくれた、こんな話を誰が信じるものか！

デカチン御輿はある距離を進むと道路に置かれ、担ぐ人たちはその間酒を飲んだ。ほとんどが若者だったので〝酒でも飲まなきゃやってらんねぇー〟状態なのかも知れない。再び人の頭の高さよりも持ち上るデカチン御輿、バイアグラなんて、奴には必要ない。反対車線は極《ごく》フツーに水飛沫《みずしぶき》を上げて車が通過していく。

「お祭りやってるよ」

ドライブを楽しむアベックは、いずれ人垣の中にデカチン御輿を目撃するだろう。その時、カーステレオからいくらクラプトンが甘過ぎるメロディを奏でても台無しになること受け合いである。

血管の浮き出し、陰毛、そこまでリアルに描く必要はどこにも見当らないデカチン旗が田縣神社の鳥居をくぐってゆくのが見える。オレも急いで道路から神社に走り込んだ。いよいよ本ステージである本殿にデカチン御輿御一行が到着である。リングに向って花道を進むプロレスラーのように、集った見物人は寄ってたかってデカチンに触れようと必死だ。

〝ワァーー！〟

何に対してか、たぶん深い意味はないだろう歓声が境内に湧き起った。デカチン御輿は

チン を抱く巫女、笑ってる！

チン、神社前到着っ！

チン、本殿に突入っ!!

〝挿入〟という言葉がピッタリに本殿中央、突き刺さるようにその姿を消していった。

見たというよりは、戦った感じがしてオレはしばらくの間、肩で息を切りながらその場に佇んでいた。〝千年の昔より遠近の人々願ひの叶ひしを喜びて、逸物を供える慣習あり、これをみて男子はその雄大な形相に益々発奮して仕事に励み――〟と由来が書かれた看板が立っている。オレもその雄大な形相に発奮してしまったのだろうか？

雨もやみ、人の数も疎《まば》らになった境内を後に、オレは今夜もオカマ・バーで今日の夢のような出来事を話したいと思った。

水止舞《みずどめのま》いの巻

水止舞い

開催場所　東京都大田区　厳正寺
アクセス　京急本線大森町駅下車
開催時期　毎年7月14日

【大田区役所広報広聴課】
〒144-8621　東京都大田区蒲田五丁目13番14号
電話 03-5744-1111(代)
http://www.city.ota.tokyo.jp

（上記のデータは全て2004年6月現在のものです）

『水止舞い《みずどめのま》』、読んで字の如く水を止めるための舞い。

ある時、一帯に雨が降り続け、水浸しになって困った農民らが、寺にかけ込みなんとかして欲しいと願い出た。見かねた厳正寺《ごんしょうじ》法密上人は龍頭を三つ彫り、村人にかぶせ舞わせたところ、ぴたりと雨が止んだというのが発祥、とある（『日本全国お祭りさがし』）。

でもさ、何もここまですることないじゃん！　と、オレは荒縄にグルグル巻きにされ、道路に転がされている二人の男をボー然と見降しながら思った——

七月十四日、東京都大田区大森。駅に降り立つと、不快指数バリバリの湿度とアスファルトから立ち籠《こ》める生温かい湯気がオレの体を一気にベトベトにした。

昨夜あんなに降っていた雨も嘘のように上り、これもやっぱ『水止舞い』のお陰かと思ったが、祭りはこれからが本番。単に梅雨明けの時期を狙《ねら》っただけのこと？　そんな身もフタもない懐疑心を起したその時、突然大森駅上空に風船怪獣バルンガのような巨大黒雲が広がり、一瞬にして街は灰色と化した。

そして激しい雨が降り出した。オレは構内に避難、雨が止むのを待ったが、天はオレの懐疑心を許してくれそうにないので仕方ない、キヨスクで一本五百円の傘を買ってタクシー乗り場まで移動した。

「『水止舞い』？　知らないなぁー」

逃げ込んだ車中、これでもかっ！　とばかり礫《つぶて》のような雨がぶち当る音がする。

「えーと、厳正寺というお寺でやるらしいんですけどね」

運転手は地図を広げ、大森東にその寺を発見した。

「それにしてもひどい雨ですねぇー。さっきまでカラッとしてたんですがねぇー」

ワイパーは折れそうなぐらいフル作動。〝実はオレの懐疑心が原因で……〟などと言うわけにもいかず、「まだ梅雨は明けてないみたいっスね」と応答した。

民家の密集する狭い道路を進むと、学校らしき建物の前に数人のカメラオヤジ発見。オレは「ここです！」と自信を持ってタクシーを降りた。

するとどーだ。雨は突然降り止み、またも空は晴れ渡った。首からカメラ、右手にビデオカメラ。そして左手に無駄な一本五百円傘。『水止舞い』はキヨスクと結託しているのか？

中学校の校門前、ミョーな物体が二個、放置してあった。群がるカメラオヤジをすり抜け間近に見ると、それは荒縄で出来た米俵のようなモノだった。ハハーン！　中が空洞になっているので、この中に人が入ることは間違いない。〝でも、何のために？〟

昼の一時前、祭りの浴衣を着た子供たちがゾロゾロ集ってきた。〝学校はどうした？　まだ夏休みには入ってないだろう〟

「おじちゃんら、雑誌？　ボク載るの？」

こまっしゃくれたガキめ！　思いっきりカメラオヤジの前でポーズを決めてやがる。「そう、そう、そう！　今度は笛を吹いてるポーズとってみて。いいねぇー、そう！　そう！」

そんなガキを持ち上げちゃったりして、よくないなぁー、カメラオヤジ。そうこうしてる間に校門の前は人が溢れ、今か今かと『水止舞い』を待ち侘《わ》びる熱気でムンムン！　オレはとうとう傘をその場に捨てた。

若者二人がガキに混じって登場。拍手こそ起らないが、観客はみな心の中で〝ヨッ！　あの中に入る人!!〟とワクワクしてるに違いない。一人は板前のような角刈り、もう一人はちょっぴり神経質そうなタイプ。手には法螺貝《ほらがい》を持っている。

法被《はっぴ》を着た数人の男たちが校門前に放置してあった二個の荒縄の着ぐるみを運んできた。そして、板前&神経質のコンビを各々抱え上げ、その空洞の中にスッポリ入れた。〝黒ヒゲ・ゲーム〟ってあるじゃない、ほら！　樽《たる》の上から海賊が頭だけ出して、プラスティックのナイフを樽のいろんな所に刺していくゲーム。正しくあの状態なわけよ。それも白昼堂々、民家の前の道路の真ん中でさ。

板前の方はまだ余裕、その状態で法被の男たちと談笑している。でもちょっぴり神経質そうな人は、〝愛って何なんだ？　人生って何なんだ？　今の俺って何なんだ？〟と、深いテーマと闘っているような険しい表情。

「せーの！」

という法被男の掛け声と共に、荒縄着ぐるみ男たちはゴロン！　とアスファルトの上に横倒しにされた。

相当なインパクトが、夕方になるとゴハンのニオイがプイーンと漂ってくるだろう住宅地に広がった。原因はハッキリしている。これは単なる子供の遊びじゃなくて、いい大人たちが真顔でやってることだからだ。

アスファルトに白ペンキで書かれた〝とまれ〟の文字とライン線。そのライン線にキレイに横並びした荒縄着ぐるみ男二体。頭と、今度は足袋をはいた足がニョキと出た。まるで人間ソーセージパン！　さっそく頭に血が上ってきたのか、さっきの余裕はどこにもない。苦しそうな表情で法螺貝を握り締めている。そして、祭り、いや『とんまつり』の開幕である！

「ブォ〰〰ッ！　ブォ〰〰〰ッ!!」

「ブ…ブォ〰〰ッ！　ブォ〰〰〰〰ッ!!」

オレは生れて初めて道に転がりながら法螺貝を吹く人を見た。

「ブッブッブ……ブォ〰〰〰ッ！」

汗だくの真っ赤な顔、モリアオガエルのようにホッペタを必死で膨らませ、苦しそうな音を出す。オレを含めたカメラオヤジは、そんな他人の不幸にピントを合せ、一斉にシャッターを切る。

〝カシャ！　カシャ！　カシャ！〟

「ブッブ…ブォ〰〰〰ッ!!」

炎天下でこの状況が「どーかしてるよ！」と気付く神経はすでに切れている。

五分近く法螺貝を吹きまくった荒縄着ぐるみ男たちは、数人の法被男に抱えられ（というか、荷物扱いで）、十歩ほど先に進んだ道でまたもゴロンと放置された。

「ブッブ…ブ…ブォ〰〰〰ッ！」

校門前に
ミョーな物体、
発見!

"とまれ"の前で
ゴロン!

メロディがあるわけではない。故・梶原一騎氏が得意としたスポ根漫画のフキ出し、『巨人の星』で伴宙太が星飛雄馬に向ってよく吐いた「ウォ〰〰〰〰ッ！」に似た雄叫《おたけ》び系。どうやらこのペースで、百メートル近くある厳正寺の山門にジリジリ近づいていく戦法らしい。

彼らの後ろからは浴衣を着た子供たちの行進と、顔を赤い布でスッポリ覆い、頭の上に風車を何本も立てた南国の妖怪のような女子、そして御輿《みこし》が続いたが、インパクト有り過ぎの荒縄着ぐるみ男に人気は奪われた。

〝ザッパ――――ン！〟

その状況をずっとカメラのファインダーで覗いていたオレは、突然頭上から大量の水を浴びせられたことに驚いた。まわりのカメラオヤジもズブ濡れになっている。法被男の一人がバケツに入った水を天高くブチまけたのだ。

本来の目的は荒縄の中でサウナ状態になっている男たちを少しでも冷してやろうという親切心だろうが、ウジ虫報道陣に向け怒りの放水のように思えてしまう。

オレは道路脇のマンションの階段に避難、カメラオヤジたちもまるでビートルズのジャケットのように一段一段に縦並び、再びシャッターを切った。

またも荒縄着ぐるみ男の駒はアスファルトで出来たゲーム盤を進み、「ブッ…ブ…」あれっ？　先ほど浴びせられた水で、どうやら法螺貝が詰ってしまったようだ。「ブ…ブッ…ブ…」　〝がんばれ！〟　「ブッブッ、ブォ〰〰〰〰ッ！　ブォ〰〰〰ッ！」　〝よかっ

MIZUDOMEMAI
What!?
←竜の顔がついてる
①
藁がグルグル巻きになった円筒形のモノ
②
まだ余裕の顔
その中にスッポリ入る手には法螺貝を持っている
③
数人の男たちによって地面に転がされる
ゴロ
ゴロ
ブオオ〜
④
足のポーズはプリティ
まるでコロネパン状態 しばしこの状態で男は法螺貝吹きまくり
ハード過ぎプレイの連続
寺の境内に作られた特設ステージ
引摺られるように
グルグル巻き男は中央ステージへ
フィナーレ!
⑤
ブオ
⑥
数人の男たちによって持ち上げられ寺に少しづつ移動。もうフラフラ…

た！〃

これ以上、路上での進展はないようだ。オレは先ほどよりも随分体力を消耗しているズブ濡れ荒縄着ぐるみ男を通り越し、山門で待機することにした。「ブッブ…ブッ…」、もう一体も詰ってるらしい。

山門をくぐると厳正寺の本堂が見えた。本堂前の境内には特設ステージが組まれ、傾斜をつけた板が登り台として立て掛けてある。〃ハハーン、ここからズブ濡れ荒縄着ぐるみ男は登るわけだな。でも、あの状態でどうやって登るわけ⁉〃オレの頭の中に突然、フジテレビの奥様番組『ど〜なってるの⁉』のテーマ曲が流れ出した。

「ブッブッブ…ブォ〜〜〜〜〜〜〜〜ッ‼」

「ブォ〜〜〜ッ！　ブォ〜〜〜〜〜〜ッ‼」

近づいてきた！　近づいてきた！　もう山門前には二体がモスラの幼虫のように寄り添っている姿が見えた。

「がんばってぇー！」

その時、境内にいた見物人の中から掛け声が起った。二体、どちらかの彼女、または嫁はんかも知れない。〃がんばれ！　もう少しだ！〃オレもスポーツ観戦のような気になって、ジリジリ近づいてくる彼らに拍手を送った。

その時である！　晴天だった空に再び黒雲が覆い、いきなり大粒の雨が降り出した。〃い…いかん！　傘が…、ないっ！〃（ｂｙ　井上陽水）

引きずる！
引きずる！

もがく！
もがく！

遂に観念ッ！

「ブォ〰〰〰〰〰〰〰ッ！　ブォ〰〰〰〰ッ！」

出来ることならこの水を止めてくれ！　御両人っ!!

ステージ脇、『ど～なってるの!?』の傾斜のついた板の前で、最後の力を振り絞り、ズブズブ濡れ濡れ荒縄着ぐるみ男たちは法螺貝を吹いた。そして法被男たちは今度は抱え上げることはせず、傾斜板の上から必死で引きずる！　引きずる!!　ズブズブ……（もう略して、〝縄男〟）は、どうやらステージに上ることを拒否している様子（演技？）で、デパートでダダをこねるガキのように抵抗した。今まで見てて初めての主張である。

それでも数人の男の力には敵《かな》わなく、とうとうステージ中央に引きずり出され、観客の拍手喝采を浴びてその長過ぎたイジメから解放された。

グルグル巻きにされていた縄は解かれ、一本の長いロープ状態となり、ステージのまわりに土俵のように円を描いた。縄男、もう一体もステージに上り、縄から解放された。そして、〝言っとくけど、今夜は飲ませてもらいますからね！〟といった重労働を終えた者にしか味わえない爽快な笑顔を残し、ステージを後にした。〝よくやった！　今夜は何でもしてくれ！〟

またもや空はぬかるんだ境内を乾かすように、ジリジリとした夏の日差しを送り込んできた。恐るべし！　水止舞い!!

オレの気がかりは、さっき捨てた一本五百円の傘。祭り囃子を背に受けて、中学校の校門まで戻ってみた。〝あった！〟

でもそれから数日間、雨は一滴も降らない。水止舞いを終え、本格的な夏がやって来たようだ。

撞舞《つくまい》の巻

撞舞

開催場所　茨城県龍ケ崎市根町　撞舞通り
アクセス　関東鉄道竜ヶ崎線竜ヶ崎駅下車
開催時期　毎年７月下旬

【龍ケ崎市商工振興課観光物産係】
〒301-8611　茨城県龍ケ崎市3710
電話 0297-64-1111（代）
http://www.city.ryugasaki.ibaraki.jp

（上記のデータは全て2004年6月現在のものです）

一九七〇年、大阪万国博覧会（通称・大阪万博）開催時、岡本太郎デザインによる太陽の塔に籠城した男がいた。奴のアダ名は〝目玉男〟、太陽の塔の金色に輝く顔、その目玉部分の片方に立て籠《こも》ったからである。オレは当時中学一年生で、漠然とした恋愛への憧れだけの軽いノイローゼ状態で生きていたので、目玉男がどんなスローガンを訴えていたのか知らない。ただ連日、テレビをつけると『トゥルーマン・ショー』のように目玉男の様子が映し出されていて〝おしっこはどうしてるんだろう？〟とか、〝ウンコはキビしいな〟〝そんなことより怖いだろ！〟などとオレなりの心配はしていたのだが、パンの差し入れまでしながら説得に当っていた機動隊に何日目かに、取り押えられた。

もし〝目玉男〟と呼ばれたいなら、もっと他の方法があったろう（そういうことじゃないか）。何の因果か知らないけれど、何もあんな高い所に登ることはないだろうと、昔っから高所恐怖症だったオレは思った——。

今年の夏、茨城県に住む友人から「ヘンな祭りがあるから行った方がいいんじゃない？」と、連絡をもらった。

「ヘンって？　どんなヘン？」

夏は祭りのシーズン、オレの求める『とんまつり』の頻度も多かろう。

「『撞舞《つくまい》』といって、カエルのかっこうをした男がさ、命綱もつけないで高い柱を登ってアクロバットするらしいよ」

「な…何、それ!?」

オレは電話口でクラッとした。そしてすぐに、あの目玉男のことを思い出した。

「いつ!? どこでぇー!?」

「七月二十七日の火曜日の夕方ぐらいから、茨城の龍ケ崎市でやるらしいよ」

〝しゅ…出動準備だっ!!〟

オレのモットーは少なめのデータと、多過ぎる情熱。そして『とんまつり』の合言葉、「どーかしてるよ!?」

オレは心待ちにしたその日、夏の炎天下にもビクともせず、ビデオカメラ&一眼レフカメラを両手に街に飛び出した。

JR上野駅から常磐線に乗り、佐貫駅下車、関東鉄道竜ヶ崎線に乗り換えた。車中で陽に焼けた学生たちが浜崎あゆみの話題で盛り上っている。ガキはガキで相変らずポケモンの話だ。ノースリーブのワンピースから覗いた肩、水着の跡がセクシーだぜOL風。それぞれの夏、それぞれの想いを乗せ電車は終点「竜ヶ崎駅」に到着した。

会場である八坂神社の方向を聞き、ダラダラと汗を流しながら商店街を行く。商店のガラス窓に『撞舞』のポスター発見! 近寄って見てみると〝年に一度の命がけの伝統行事〟というコピー。写真は民家の屋根を遥かに越した柱（どうやら十四メートルもあるらしい）がヌーッと伸び、その頂上に弓を手にした怪人が立っている図。〝うーん、これは……どーかしている!!〟オレはそれぞれの夏の一つ、『撞舞』見物にワクワクした。

八坂神社の周辺は夜店の屋台がズラリと並び、陽が沈むのを待ち構えている様子。「撞舞をやるのはそこの角を曲って、三つ目の信号を左に行ったとこだ」、寅さん風なテキヤのオッチャンが教えてくれた。オレは無風状態の中、汗を拭うことも忘れ会場に急行した。

〝いる！　いる!!〟

三つ目の信号を左折すると見慣れた光景〝カメラオヤジの群れ〟である。今ではそんな祭り先輩を見ると心が休まるようにまでなった。〝初めて撞舞、撮影させてもらいます！　よろしくお願いします〟オレはそんな気持ちでカメラオヤジの群れに入っていった。

大して広くはない道路、その道の左端に組まれた櫓《やぐら》、そこからヌーッと天に伸びる一本の白い柱。見上げているだけで首が痛くなる。先端はT字型、籠のようなものが載っている。

たぶんアクロバットを披露するであろう小さ過ぎるステージに違いない。

オレは見上げる角度四十五度ぐらいの位置に腰を降ろし（モロ道路）、〝カエルのかっこうをした男〟を今か今かと待ち侘《わ》びていた。

「撞舞は五穀豊穣、無病息災を祈願する神事で四百年以上の伝統をもっております」

妙に冷静な女のアナウンスが会場に流れた。

「撞舞の舞男《まいおとこ》を披露するのは今年で九回目の谷本仁《ひとし》さん、三十歳です――」

どうやら〝カエルのかっこうをした男〟は〝舞男〟と呼ばれているようだ。会場で配られていた『新いばらき』という新聞を見ると舞男のインタビューが載っていた。

「鳶《とび》組合会長らに連れられて初めはただ見ていましたが、撞柱の上に興味を持ち、上らせてもらったのです。するとそこで本番は逆立ちをすると聞いたので逆立ちしたんです」

お…おいっ！　何というアッサリした動機なんだ！

鳶組合会長も新聞で「舞男の後継は彼しかいないと思った（中略）。彼は独身なんです。これからずっと舞男を続けてもらうためにも、お嫁さんは彼を本当に理解してくれる人に来てもらいたいんです」と述べていた。うん、そりゃ彼しかいない！　彼しかいないでしょ！　彼かもう一人、目玉男。目玉男は今じゃ目玉オヤジになってるからダメか。

櫓の下で数台の太鼓による演奏、会場はクソ暑い上にさらに熱気ムンムン！

「舞男がもうすぐ会場に到着します。見物の方は道を開けて下さい」

〝ジャンピン・ジャック・フラッシュ〟、キース・リチャーズのイントロのギター・フレーズを合図にミック・ジャガーがステージに登場するような、そんなカンジ。待ってました！　舞男!!

人垣の中、黒紋付の役員に先導され舞男が姿を現わした。全身唐草模様のような服、頭には不気味な蛙面を載せ、赤い薄布で顔を覆っている。夜、便所で会ったらショック死、間違いなし！　オレは必死で舞男の姿をビデオカメラで追った。

「にぃちゃん、そんなとこ立ったら見えないだろーが」

見物人からオレへの苦情が飛ぶ。それほどオレ、必死。

舞男は櫓の階段を登り、柱とその先端に設置した小さなステージを見上げている。『新いばらき』新聞によると昨年は仕事中に足を負傷、けがが完治しなかったため舞男として参加することができなかったと、ある。〝ムリはすんな、もともと命綱なしであんなとこまで登

うーん、
これが撞柱!!
逆立ちかよ!
ハラハラ…
柱、グラグラ
してんぞ!
気をつけろ!!

るなんてムチャなんだから〃、オレは高所恐怖症の立場としてアドバイスしたかった。

無風状態であった街も、夕暮れが迫り極楽の余り風が吹き始めた。しかしその風は見物人にはいいが、これから舞う舞男が登ろうとしている柱も揺らした。〃もう、やめてもいいじゃん、ね。見物人も怒んないって、ね〃

次の瞬間、いきなりって感じで舞男は柱にしがみついた。そして柱に巻き付けたロープに足を掛け、〃スルッ〃〃スルッ〃とスパイダーマンのように柱を登り出した。

柱の中ほどで止った舞男、ビビッてんのか!? いや、今度は足だけでしがみつき腕を組んでる! 余裕プレーだっ!! その高さだけでも民家の屋根は越えているというのに。オレも必死だ! 見上げたまんまの状態で会場を走り回り、少しでもいいショットを押えようとしている。

「ちょっとー、見えないわよ」

〃うっ…うるさいっ!! こっちは遊びじゃねぇーんだ!〃

もちろん口には出さないけど、やっぱ舞男に比べりゃ遊びだな、こりゃ。

今度はそのままの姿勢でエビ反《ぞ》りっ!

〃お…おいっ! ヒヤヒヤさせんなよ、もー!〃 またも、スルスル登ってゆく舞男、とうとう頂上にたどり着いた。頭に被った蛙の面がズレてくるのか、頂上に立ち、直してる。オレを含めた見物人はポカンと口を開け、時折「おーっ」とか歓声を上げている。舞男さんよ、さぞかし上から見たオレたちは滑稽なんだろうな。

TUKU MAI What!?
四方に矢を放つ!!
ムチャしよるで!!
余裕っ!
風でグラグラする
スパイダーマン!!
スル
スル
命綱なしっ!!
14m
蛙面↓
不気味に顔を隠してる→
これが舞男だ!!
見守る役員たち
黄昏の龍ケ崎
ヨッ!いいぞ!!
ス…スリリングッ!!
う…
見上げてばかりで首イタイ!

お…おいっ！　今度はどうする!!　頂上に置かれた籠の中で、さ…逆立ちかよ!!　逆立ちすると聞いたので逆立ちした、あの逆立ちかよ!!

もうこんなムチャを見たら、見物人としては拍手するしかないじゃないか。逆立ちの次は、何？　背中に背負った弓を取って、矢を放つの？　お…おいっ！　柱がまたグラグラし出したぞ、気を付けろ！

たぶん東・西・南・北なんだろうな、舞男は方向を変え空に向け矢を放った。その落ちてきた矢を取るといいことがあるのか、見物人も必死。一本はオレの立ってるすぐ横に飛んできた。〝あ…アブないじゃないかっ！〟

今度は何？　何すんのよ、アンタ！　柱を一応支えてる程度のロープに移動し、上からスルスルスルーッと舞い降りてきた。オレがアンタの親だったら気絶だよ、もー！　ロープの上でも腕組みポーズ。その姿勢のまんま今度はコウモリのように中ブラリ～ン！　アンタ、リポビタンDのCM、出なよ。もう会場は拍手、拍手！〝もう、いいって〟、見上げてるだけでオレ、もう首が限界っス！

舞男は余裕で撞舞を終え、いとも簡単に柱を降りてきた。会場はさらに大きな歓声と拍手、地に足を着けた舞男は見物人に取り囲まれた。スターである！　そりゃ、スターでしょ！　その中には〝ミス竜ヶ崎〟と書かれた襷《たすき》を掛けた浴衣姿のおネェちゃんの姿も。舞男はキレイどころに囲まれ記念写真、ちょっと照れくさそうな表情が「またカワイイのよねん♥」なんて思われてんだろーなぁー。ハッキリ言って羨ましいぞ、舞男！　別に電話番号を聞く様

ファイト
一発っ!!

羨ましいぞ!
舞男!!

子もなく、人込みに消えていく舞男。君は孤高のヒーロー、マカロニ・ウエスタンのテーマ曲が似合うね。

祭りはやっぱ体育会系のものだもんな。痛いほど（特に首）見せつけられた文科系のオレは、本番真っ盛りの夜店を抜けて竜ヶ崎駅に向った。〝でも何んでカエルが柱に登ってアクロバットを披露するんだ？〟その大きな疑問だけは解けないままでいた。

恐山大祭の巻

みうらじゅんの
わびさび たびたび
恐山大祭の巻
イタコの名札
神道サツ
ゆくゆくは これまでの 寿命と あきらめて下さい……
う〜ん、これは…… シャレにならんっ!!
口寄せしてる人
録音してる奴
シク シク…… 泣いてる人
ドキドキしてる奴

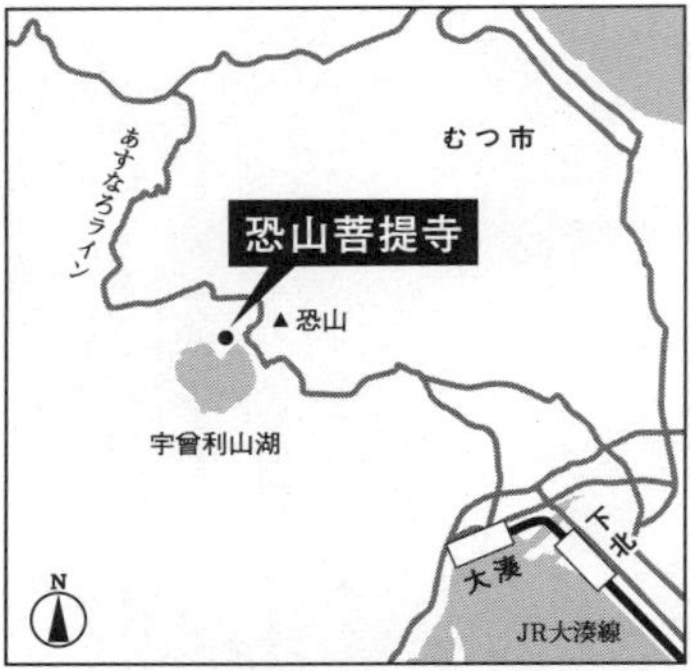

恐山大祭

開催場所　青森県むつ市　恐山菩提寺
アクセス　JR大湊線下北駅から下北交通バス恐山行きで
　　　　　45分、終点下車
開催時期　毎年7月20日〜24日

【むつ市商工観光課】
〒035-8686　青森県むつ市金谷1-1-1
電話 0175-22-1111(代)
http://www.city.mutsu.aomori.jp

（上記のデータは全て2004年6月現在のものです）

「青森県八戸市の○○さんは享年三十二歳という若さでこの世を去りました。御家族は悲しみに暮れておりましたが、ある夜○○さんが夢枕に立ち、賽《さい》の河原《かわら》に釣り道具を持って来て欲しいと頼みました。生前○○さんは釣り好きで、あの世に行っても釣りを楽しみたいというのです。さっそく御家族は次の日、恐山に参り、賽の河原に釣り道具を奉納、故人の霊を慰めたのでした——」

田名部《たなぶ》駅前発、下北交通「恐山《おそれざん》」行きのバスの中、新緑と杉木立を窓から眺め、〝思えば遠くへ来たもんだ〟的な旅の情緒を楽しんでいると、突然御詠歌をバックに、全く抑揚のない女性の声でホラーな放送が流れ出した（この路線は二〇〇一年三月廃止）。

「このように日本三大霊場のひとつ恐山には、人が死ぬとその霊魂がやって来ると信じられております——

ひとつ積んではぁ〜母のためぇ〜〜〜、ふたつ積んではぁ〜〜〜父のためぇ〜〜〜♬」

オレと同じく田名部駅前からバスに乗り込んだ十五人ぐらいの乗客は、さっきまでの陽気なバス旅行の雰囲気を一変、御詠歌サウンドに合せ数珠《じゅず》をゴロゴロやりながら念仏を唱え出した。〝うーん、これはシャレにならんっ!!〟、オレはとっさに目を閉じ、この状況から逃避しようとした。

小学校のバス旅行。回ってきたマイクでオレは生れて初めて人前で歌を披露した。曲目は忘れたが、カラオケのない時代、クラスメイトの手拍子に合せドキドキの熱唱。初恋のあの娘も聞いている！　オレにとってバスの旅はそんな楽しい思い出でいっぱい、なのに、なのにどーだ！　このディープな状況は……

「青森県むつ市の主婦○○さんは、ある夜霊界からのお告げを聞き恐山にやって来たところ——」

おい！　おい！　まだ続けるか霊界ディスクジョッキー！

重苦しい雰囲気のまま、バスは終点「恐山」に到着した。オレは早く外に出て新鮮な空気を胸いっぱい吸い込みたかった。するとどーだ！　鼻をつく硫黄の臭気があたり一面に漂い、むきだしの岩肌が殺伐とした景観を作り出しているではないか。〝うーん、これはシャレにならんっ!!〟

「恐山」、そのインパクトあり過ぎの地名。あまり好き好んで行く人はいないがその名だけは日本国中に轟《とどろ》かせている恐山！　そんな恐山にオレは、死んでから霊体で行くのではなく、生きてる内に一度は行ってみたいと思っていた。

七月二十〜二十四日まで『恐山大祭《たいさい》』なるものがあることを〝さゝ日新聞〟で知った。さゝ日新聞とは、毎月オレだけのために発行されている新聞で、『ささ、日本百名祭へ〜関東版〜』（書苑新社）の作者、重森洋志・三島宏之の御両人から直々に送られてきている。オレは毎月、祭りのプロのありがたい情報を参考に『とんまつり』の旅を続けているのだ。この場を借りて感謝の意を表します！

新聞には、七月の祭りヘッドライン〝古口専門イタコの霊媒が見どころ！〟（青森県・恐山大祭）と書かれてあった。オレはそれまでイタコの存在は知っていたけど、祭り期間限定

ホラー・バス！

メニュー
いろいろ!!

灼熱地獄の霊場パレード！

だとは知らなかった（十月九～十一日の〝秋詣り〟期間も）。そしてイタコの口寄せ（降霊）には二通りあり、死後百日以内の新しいホトケ新口と、それ以外のホトケ古口に分けられること。恐山にこの期間、集ってくるイタコはみな古口専門だという。
五、六年前、チャーリー浜さんとオレが司会を務めていた深夜番組があって、お亡くなりになった関西芸人の霊を降ろすという企画をやったことがある。ディレクターはテリー伊藤氏、ま、想像つくでしょ、そんな番組――
「な…なつかしいなぁー、やっぱりシャバの空気はおいしいなぁー」

そう言って降りて来られた霊は〝ぼやき漫才〟で一世を風靡《ふうび》した芸人、人生幸朗《じんせいこうろう》！

「お久しぶりです！　人生師匠!!」

チャーリー浜さんが霊媒師の手を握って大げさに言うと、「おぉ、チャーリー君か」となつかしそうにうなずいている。オレは横に居て、この時点で嘘だということを見抜いた。だって人生幸朗がお亡くなりになられた頃、まだチャーリーさんは前の芸名〝浜裕二〟を名乗っていたからだ。「〝チャーリー〟という最近の芸名を、よく御存知で?」、オレが意地悪にツッ込むと、霊媒師は一瞬間を置き「あの世でもテレビ見てるからな」と言った。

その後、オレが「人生師匠！　お久しぶりです、間寛平です！」と嘘を言った時も、なつかしそうに「おぉ、寛平か！」と、うなずいていた。収録が終り、帰りの身仕度をしていた霊媒師に挨拶すると、「すいませんでしたねぇー、全くその人生……何とかという人のこと知りませんでしたので――」と、頭を掻《か》いていた。人生師匠も、当然オレのことも、たぶんチャーリーさんすら知らなかったに違いない。

オレはそんなトンマなイメージだけを抱き、青森県の最果ての地、下北半島の霊場「恐山」に向け出発したのであった——

バスを降りると、朱塗りの太鼓橋あたりにたくさんの人が屯《たむろ》しているのが見えた。照りつける太陽、東北だというのに三十五度は超える灼熱地獄！　どこを見渡しても、この荒涼とした風景には日陰というものがないっ！　オレはバス停の向いにある簡易テントの土産《みやげ》物屋に避難し、どう見ても人を怖がらす目的としか思えない筆文字で、でっかく〝恐山〟と書かれた麦わら帽子を買った。

「恐山せんべい（三十二枚入）」、そのストレートなネーミングが気になり手に取ったが、結局は誰も口に運ぶことなくうちの仕事場に放置してある図を想い、棚に戻した。オレがそんなことに悩んでいる間、太鼓橋を出発した『恐山大祭』上山式《じょうざんしき》は、住職、僧侶、先達《せんだつ》をはじめ、婆々講《ばばこう》、念仏講などの信者が列をなして恐山・菩提寺の総門目指しパレードしていた。

オレも不気味な麦わら帽を被り列の後方に参加、カメラオヤジ先輩に混じってシャッターの音を響かせ、行進。

それにしてもクソ暑いっ！　今度は総門前に〝霊場アイス〟と書かれた屋台発見！　オレは列から離れ駆け寄った。そのネーミングからして、身の毛もよだち血も凍る冷たさを想像したが、口に運ぶと何のことはないフツーのシャーベット状アイスだった。

気を取り直し、菩提寺に入る。参道半《なか》ば、山門をくぐると正面に地蔵殿が見えた。〝地獄の責め苦を代わりに受けて、生死に迷う人間を助けて下さる〟地蔵菩薩だ。地蔵殿を左に、参拝順路の道しるべ通り歩いていくと、〝戦没者慰霊の碑〟に始まり、〝無間地獄〟〝地獄谷〟〝水子供養御本尊〟、そして〝血の池地獄〟と、シャレになんない文字羅列っ!!

「ひとつ積んでは母のためぇ〜〜〜♬」の歌の通り、むきだしの岩肌参道には到《いた》る所、石が積み上げてある。事情こそ分らないが、その石一つ一つには人間の情念がたっぷり込められているに違いない。〝倒すとシャレにならんっ!!〟、オレはスキーのスラローム競技のように細心の注意を払って道を進んだ。

〝賽の河原〟から美しい湖が見えた。〝極楽浜〟と書かれたプレート! オレはホッとしてその湖岸に走り寄ると、そこには無数の風車と花束が供えてあった。またそこでも石を積む人たち。時折、立ち上っては湖に向って何やら叫んでいる。

「〇〇っ!! 親戚の〇〇さんとこに赤ん坊が生れてなぁー」

たぶん亡くなった息子と対話しているのだ。あたりを見渡しても、みんな目的があって行動している様子。オレだけが〝イタコ見たさ〟という軽い動機でこんな所に立っていることに気が付いた。シャレにならんぞ!

オレは〝恐山〟と書かれた麦わら帽を目深《まぶか》に被り、出来るだけ自分の存在を消して〝極楽浜〟から〝重罪地獄〟〝修羅王地獄〟を通り過ぎた。そしてもと来た総門が遠くに見えてきた時、〝イタコの口寄せ〟と書かれた看板を発見した。ここに来た唯一の目的に、オレは救いを求めた。

OSOREZAN
What!?
うーん…シャレにならん
タカシ〜〜〜!!
イタコ
ウエルカム!
イタコ・ルーム
釜臥菩提寺
無縁仏
イタコの口寄せ
シクシク
テント
もーっ! これはシャレにならんっ!!
子供のTシャツ
積まれた石
回し続ける風車…
カラ カラ

小さなテントが十個ほど並んで立っていた。ものすごい行列が出来ているテントと、そうでもないテント。そうでもない方に近寄って中を覗くと、イタコが弁当を食べていた。昼休みなのか?

「会いたくても会えないが、日々の手厚い供養には感謝している」

人気のあるテントを無理矢理横から覗くと、東北弁でそんなフレーズが飛び出していた。オレは祭りの屋台を見て回るみたいに、ワクワクしながら全テントの中を覗き、その様子をビデオに収めた。

〝でもせっかくここまで来たんだ。誰か呼んでもらう人はいないものか?〟

イタコの口寄せに参加したくて、オレは頭の中で親戚の顔を浮かべた。

〝誰か死んじゃった親戚……そうだ! 母方のおじいちゃん!!〟、小学生時代、習字を習っていた大好きなおじいちゃんがいたではないか!

教室兼おじいちゃんの部屋でオレは仏像の本に興味を持った。そしてオレは毎週土曜日習字のけいこを終えると、部屋が真っ暗になるまでおじいちゃんと仏像話をするのが最高の楽しみになった。親戚受けはよくなかったけれど、自分の趣味だけに生きるおじいちゃんのマイブーム余生は今、オレの血の中に完璧に受け継がれている。

オレは列の少なめのイタコを選び、並んでみた。どうやらイタコは十分近くの口寄せで四千円近くギャラを取るらしい。でもまぁいいや。久しぶりにおじいちゃんと会えるんだから。

「そのお方はおいくつで亡くなられたの?」

イタコ、営業中!

イタコ、食事中につき

イタコ、ブルーズ♪

「えーと、いくつだったっけぇー」

「亡くなられた日はいつだ?」

「えーと、オレが高校だっけか? いや違う」

情報不足過ぎ。イタコは「それじゃーちょっと無理だなぁー」と言って下を向いた。ダ……ダメ? 日々の手厚い供養がない人間には、やはり霊も降りて来てくれないのか……。当然である! 反省である!

すっかり目的をなくしてしまったオレは、恐山を後にするしかない。〃やっぱり「恐山せんべい」ぐらいは買っといた方がよかったかもな……〃バスの中で霊界ディスクジョッキーを聞かされながら、オレは少し後悔した。

抜き穂祭の巻

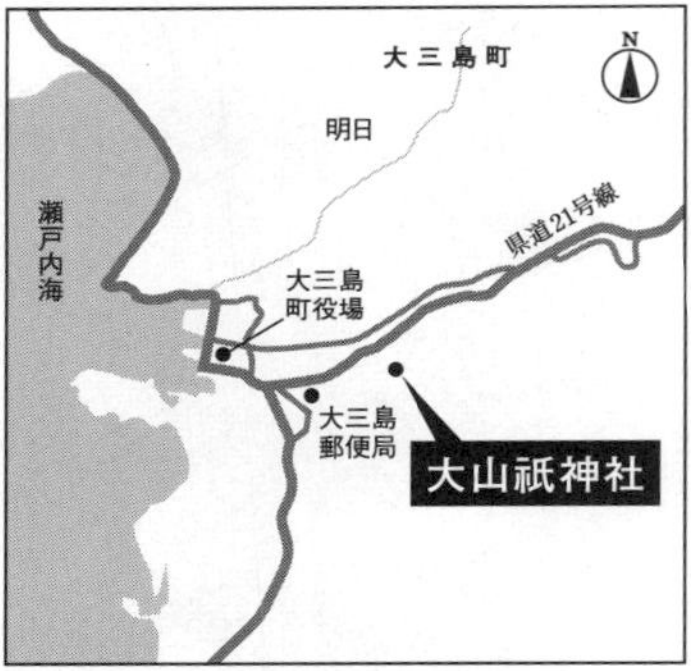

抜き穂祭

開催場所　愛媛県越智郡大三島町　大山祇神社
アクセス　ＪＲ山陽本線福山駅・尾道駅から高速バス「しまなみライナー」に乗車、大三島BSで下車し、瀬戸内海交通バス宮浦港行きに乗り換え、大山祇神社前下車
開催時期　毎年10月中旬（旧暦9月9日）
（ただし、一人相撲は旧暦5月5日のお田植え祭でも行なわれる）

【大三島町企画観光課】
〒794-1392　愛媛県越智郡大三島町宮浦5708
電話 0897-82-0500（代）
http://www.e-shimanami.jp/ohmishima/

（上記のデータは全て2004年6月現在のものです）

〝一人相撲……〟

ん！

〝ひとり…ずもう？〟

オレはもう一度、心の中で〝一人相撲〟と反復して、プーッ！　と吹き出した。

言葉では聞いたことがある。

「結局、今回はおまえの一人相撲だったな」という言い方。相手にされなかったみたいな意味だと思うが、そんなセリフここ何十年も聞いたことがない。きっと死語になってしまったのだろう。

でもオレが思わず〝プーッ！〟と吹き出してしまったのは言葉ではない。実際、体を使って一人相撲を取っている人を見たからだ。

オレの見た一枚の写真。土俵の上には行司と力士。それならフツーの相撲だが、問題は力士が一人で、さも投げられたようなポーズを決めている写真。オレは相撲に関しては全くの素人なのだが、そんなオレだってこれはどーかしてる！　と思わず叫んだ。

力士と言ったが、まわしこそはしているが頭はツルツルで、かなりの高齢者に見える。解説を読むと〝今は分らないが、演技力豊かなこの一力山《いちりきやま》ももはや高齢となり『一人角力《ずもう》』力士の後継者の育成が望まれている〟と、ある。

それは大変だっ!!　今見ておかないと、一生〝一人相撲〟が見られないかも知れない！

オレは『とんまつり』研究家として居ても立ってもいられなくなった。出動である！

場所は愛媛県越智郡大三島《おちぐんおおみしま》の大山祇《おおやまずみ》神社。旧暦の九月九日（今年は十月十七日に当る）、恒例秋祭りの『抜穂祭《ぬきほさい》』。

オレはこの半年で二度も愛媛県を訪れている。一度目はNHKの『四国八十八か所』の出演でお遍路さん役（オレは〝オヘンローラー〟と呼ぶ）。二度目もNHK仕事、その時は『弘法大師・空海展』について熱く語りに行った。そして今度は『一人相撲』か……。えーい！　『とんまつり』ある所なら、どこでも行くぜっ!!　待っててくれよ、一力山。

ひかり号で岡山まで出て、こだま号に乗り継ぎ福山駅。駅前から高速バス・しまなみライナーってやつに乗り込んだ。もちろん飛行機という案は毛頭《もうとう》無い。コワイからだ。向島、因島《いんのしま》、生口島《いくちしま》、瀬戸内海をバスで渡る旅。もちろん車中は『瀬戸の花嫁』のBGM流れまくり。

〝♬瀬戸わんや　日暮れてんや〜〜〟

小学生の時よく歌った替え歌。今の人はもう〝獅子てんや・瀬戸わんや〟という漫才師は知らないだろうなぁー。そんなことを思いながら遂にやって来た大三島。バスを降りると、日曜日ということもあってか神社の前は人でごった返していた。

〝みんな一人相撲見たさか……〟、オレでもヤング状態の客層。オバハンやオッサンがゾロゾロ境内に入ってゆく。

かなりデカイ神社、オレはいつものフルメタル・カメラオヤジ（右手にカメラ、左手にビデオを持つ）のスタイルで一人相撲の土俵を捜した。本殿まで行ったが見つからず、焦ったオレは社務所に飛び込んだ。

「ひ…ひ…一人相撲はどこで行なわれるんですかっ!!」

受付の小さなガラス窓をスッと開けた巫女さん。〝けっこうイケてる美人!〟そんなことを思ってる場合じゃない! 一人相撲!!

「鳥居の左に〝斎田〟と呼ばれる田んぼがあって、その前の祭場で一人相撲は行なわれます。大体、一時半ぐらいから始まると思います」

時計を見るとまだ三十分近くあった。ありがとう! イケてる巫女さん。

オレがその祭場に行った時、まだ見物人は誰もいなかった。祭場の真ん中あたりの土が少し盛り上っているように見える。〝あれか……?〟、よく見ると土で円を描いてある。〝きっとあれだ!〟、本当の相撲のように俵で土俵を囲んでいるのではなく、子供が砂場で作るような簡易の土俵であった。

祭りの法被《はっぴ》を着たオバサンがいたので、どのあたりから一力山が登場するのか聞いてみた。カメラアングルが大切だからだ。

「一力山って、おいくつぐらいなんですか?」ついでなので聞いてみた。

「あぁ、先代の一力山のことね。それだったら亡くなったよ」

〝えっ!!〟

「五年ぐらい前に亡くなってなぁー。その後、継ぐ者もおらんで、高校の生徒会長が毎年入れ替りやっとったんよ」

〝えーーっ!!〟

「ヤ…ヤングがですか？」

オレはこれほどトホホな気分を味わったことがなかった。肩をガックリ落し、口は開いたまま、ボー然とオバサンの話を聞いた。

「でもね、今年から町役場の人が抜擢されてね、行司さんも替ったんよ」

「行司さんも……ヤングっスか？」

オレはただただヤングが見たくなかった。

「いや、しっかりした人よ。先代の行司さんももうえらい歳になってねぇー、軍配もよう振らんでなぁー」

オレが聞きたい意図とは少し違ったが、どうやら一人相撲も後継者が出来たらしいことにはホッとした。でも先代の一力山が見たかったなぁー。軍配もよう振らん行司も、やっぱ見たかったなぁー。それはダウンタウンもいいけど、〝夢路いとし・喜味こいし〟の渋い漫才も見たいなぁーって気持ちに似ていた。

オレはオバサンに教えてもらったいい位置で一人相撲がやって来るのを待つことにした。

しばらくして本殿を出発した御輿がこちらに向って来るのが見えた。神官や頭に紙のお札を付けた少女たち（抜穂乙女）、槍の先に人間の髪の毛らしきものを付けた人たち、総勢六十人近くの行列が近づいてくる。その中に、〝どー考えてもあの人しかいないでしょ！〟というデップリとした男、発見！　白い衣は羽織っているが、その下は絶対まわし一丁という

先代
一力山
オレの見た先代の写真は、瘦せてはいるが筋肉質でも、やっぱ老体……
頭ツルツル
いいアクションを見せてくれたが……
行司も老体
先代に負けじと、いいアクションの負っぷり!
一人相撲の世界は任せたぜっ!!
ナウ
一力山
HITORI-ZUMO
What?
うう…おそっ!!
サモハンキンポーチックルックス!!
一力山
姿の見えない精霊山
たぶん、ニーヤーことでしょ
う〜ん、だんだん見えてきた…ウッ
足を取られたっ!!
のこったぁ
のこった〜
グアグアグア
づづ……
ペ〜ッ!!
アハハ
う〜ん! おもろ過ぎっ!!

男、発見っ！

他の者に比べ、その堂々とした足取りは〝ニュー一力山〟に違いない男、発見!!　オレは祭場入口近くで、歳の頃なら二十七、八とみた一力山の顔を見て〝う～ん、彼ならけっこういいかも〟なんて、相撲の親方みたいな気持ちになった。

それからいろんな儀式が執り行なわれ、オレは〝今か今か！〟と、ビデオの録画スイッチをスタンバイにして待ち続けた。

「次っ、一人相撲」

〝きたっ!!〟

いつものことながら、まわりのカメラオヤジたちは人込みの中で無理矢理半歩先に出て、ニョキニョキとズーム・レンズを伸ばしてる。

「ひがぁーしぃ〰〰、せいれいやまぁ〰〰、精霊山〰〰っ！」

ニュー行司が神殿の方に軍配を振った。どうやら一人相撲の見えない相手は〝精霊山〟という神様らしい。

「にぃ〰〰しぃ〰〰、いちりきやまぁ〰〰、一力山〰〰っ！」

白い衣を脱ぎ捨て、やっぱりあの男が立ち上った。町役場に置いておくのはもったいない、いい相撲体形である。

土俵の外、見えない酌で水を飲んでるアクション、スタート！　次は塩らしきものを撒《ま》いている。そしていよいよ、〝どっこいしょ！〟とシコを踏んだ。

一本目

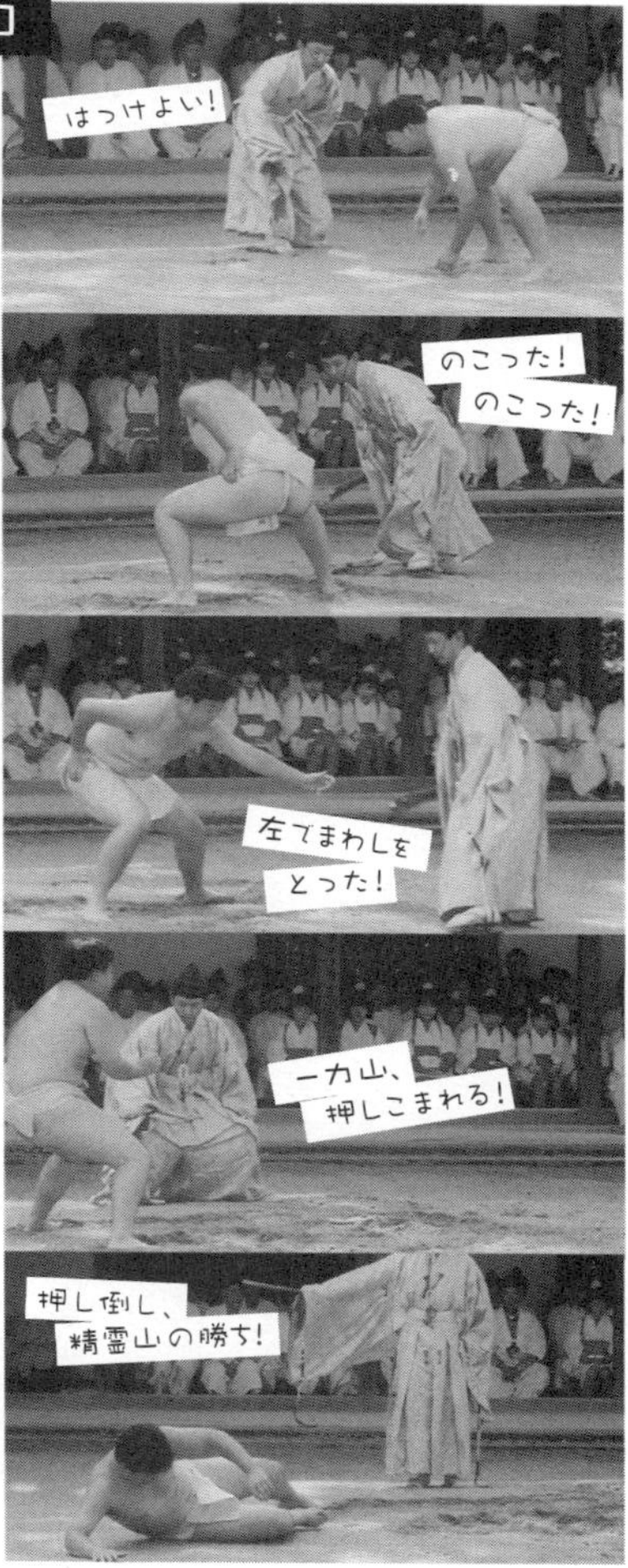
はっけよい!
のこった!
のこった!
左でまわしを
とった!
一力山、
押しこまれる!
押し倒し、
精霊山の勝ち!

「見合って！　見合って！」

あくまで見合ってるつもり。

「のこったぁ──　のこったぁ──　のこったぁ──」

一力山、いきなり精霊山にまわしを掴まれた！（つもり）、ぐいぐい土俵際に追い込まれた！（つもり）、おっと！　体を躱《かわ》した！（つもり）、「おぉーっ！」、一力山が叫んだ（これは本当）。しかしまたグイグイと精霊山に押され土俵際！

「のこったぁ──　のこったぁ──」

妙なイントネーション。

一力山、も一度「おぉーっ！」と叫んで土俵外へ。押し倒しで精霊山の勝ちである。

一瞬、場内は静まり返ったが拍手が巻き起った。そしてところどころで笑い声。いいぞ！

一人相撲!!　これほど陽気な相撲は見たことがない。

「さぁー、見合ってぇー。見合ってぇー」

一力山、表情を変えることなくまたも土俵に上る。

「のこったぁ──　のこったぁ──」

妙なイントネーション。

今度はがっぷり四つに組んだ！（つもり）、おっと！　一力山の方がまわしに手を回す！（つもり）、ジリジリ土俵際に精霊山を押す！　押す！（つもり）、両手に力いっぱい込めて〝オーマイ・ガーット！〟のポーズ。精霊山を持ち上げている（に違いない、たぶん）。

二本目

腰を落とす
一力山！

下手で横みつを
とった！

豪快に吊った！
オーマイガッ！

三本目

おーっと、
足をとられた！

きまった、
上手投げ！

「おぉ━━っ！」ものすごい声を上げた一力山、そのままのポーズで精霊山を土俵外に放り出したぁー！（つもり）、一力山の勝ちに場内は大拍手。そしてかなりの数の笑い声。一力山は勝ったにも拘《かかわ》らず、表情一つ変えない。まぁ、そりゃ一人でやってんだから別にうれしかないよな……。でもそのポーカーフェイスが逆におもしろくて、オレもとうとう吹き出す

〝プ━━ッ！〟

さぁ！　一対一の互角、神様勝つか!?　人間勝つか!?

「見合ってぇ━━　見合ってぇ━━」

いきなり今度はどうしたぁ！　一力山、横っ腹が痛いような体勢。右手を後ろに回され、精霊山にひねり上げられてるのか？　一力山、かなりの苦痛を顔で表現！　キツそう……大丈夫か!?「おぉ━━っ！」また出た叫び声。何だぁー!?　今度は自分の手で右足を持ち上げるポーズ！　おっとっと！　土俵ギリギリ、片足は爪先立ち。よろける！　よろける！　グラグラしてるぞ!!　もうどんな技をかけられてるのかサッパリ分らん。おっと！　そのままの体勢で宙返り、土俵外に投げ出された。ジャッキー・チェンばりのアクションに場内、大拍手。そして大爆笑。遂にこの一大攻防戦、精霊山の勝ちと相成った。

〝よくやった、一力山！　きっと先代も頼りになる後継者登場に大喜びであろう〟

オレは口元に笑みを残したまま、帰りのしまなみ海道を走るバスの中、少しおかしい人と思われても仕方ないほど満足感に浸っていた。そしてもう一度、今度は思い出し笑いで、

〝プ━━ッ！〟

子供強飯式《ごうはんしき》の巻

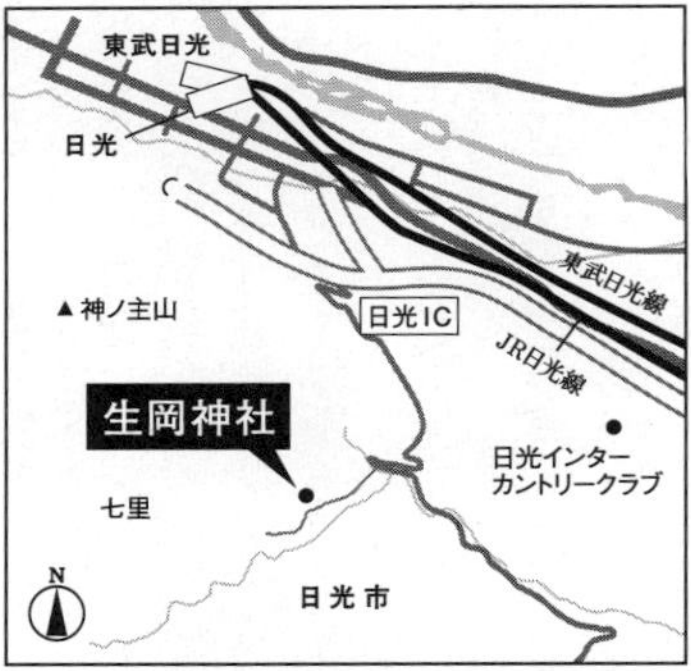

子供強飯式

開催場所　栃木県日光市　生岡神社
アクセス　ＪＲ日光線日光駅・東武日光線東武日光駅から
　　　　　関東バス宇都宮行きで生岡神社下車
開催時期　毎年11月25日

【日光観光協会】
〒321-1404　栃木県日光市御幸町591日光郷土センター内
電話 0288-54-2496
http://www.nikko-jp.org/index.shtml

（上記のデータは全て2004年6月現在のものです）

〝ニャンまげに飛びつこう　ドンドン♬〟

今年の初め、日光江戸村のテレビCMを見て、居ても立ってもおられず、浅草から東武線に乗り込んでニャンまげに飛びつきに行った。

鼻息荒く江戸村にたどり着いたオレは、意外に早く入場口でニャンまげと遭遇、ガキの団体に混じってジワジワ接近、〝いざ飛びつかん！〟という瞬間「このニャンまげには飛びつかないで下さいよ」という係員の声を耳にした。「えーっ！　何んでぇー!?」、ガキに混じってオレもそのセリフを吐きたかったが、よく見るとそのニャンまげ、テレビで見たヤツよりも痩《や》せていて、飛びつこうもんなら倒れてしまいそうな体形をしていた。

「飛びつけるニャンまげは江戸村の中にいますので捜して下さいね」

どうやら何体かタイプ違いのニャンまげが存在するらしく、オレは仕方なく江戸村中を捜査した。「すみませんが、ニャンまげはどこにいますか?」、たぶん一日に何度もその質問を受けてるらしい観光客相手の忍者は、「分んない」と素気無く答えた。こちとらも年齢だけは十分大人なので、それ以上聞き返すわけにもいかず、結局その日は飛びつけずじまい、仕方なくニャンまげグッズを大量に買い込んで帰路に着いた。

今回の『とんまつり』も日光。二時間近くかかる東武線を利用するのをやめて、東京駅から新幹線で宇都宮に出ることにした。そこから日光線で約四十五分。あまり時間的には変らないが、オレは宇都宮で見たいものがあったのだ。それは駅前に立っているという『餃子像』。一度テレビで見たことがあるが、それはそれはシュールな像だった。

「すいませんが、ギョーザ像ってどこにあるんですか？」

これじゃニャンまげの時と同じだと思いつつ、駅員に教えてもらった。

それは駅前にあっけなく立っていた。今度は飛びついてもビクともしない石像。ギョーザが縦に、何と足まで生えて立っている。よく見るとギョーザの中から何やら人のような形が浮き出していた。〝何々……？〟

『この像は〝ギョーザの街・宇都宮〟のシンボルとして、餃子の皮に包まれたビーナスをモチーフに地元の大谷石を使い製作したものです』

像の横にあるプレートにはそう書かれてあった。〝ビ…ビーナスなの？　コレ〟、オレは驚きを隠せなかった。何枚も写真を撮ったが、その場を離れがたく、オレは駅に戻る階段で何度も振り返った。〝うーん、やっぱり日本ってスゴイな〟、来世で日本人に生れなくてもオレは必ずこの地を訪れることだろう。

日光線で終点『日光』。場所が分らないのでそこからタクシーで本日の現場、生岡《いくおか》神社に向った。そこで朝十時から『子供強飯式《ごうはんしき》』なる『とんまつり』が行なわれるらしい。

日光では四月にも輪王寺《りんのうじ》で『強飯式』が行なわれるが、それはいい大人同士が大盛り飯を突きつけ、口いっぱいにほおばるものらしい。その子供版？　うーん、よく分らんっ！

オレにとっちゃ早朝なので、『子供強飯式』をよく理解出来てない上にやたら眠く、タクシーを降りてその参道を呆然《ぼうぜん》と歩いた。

数は少ないが露店が並んでいる。その横でおばさんたちが集って何やら煮込んでいる。

〝味噌汁か……〟、冷たい空気の境内に白い湯気が立ち上る。やっぱ強飯式だから、メシを口いっぱいにされた後は味噌汁なのか？

小さな神社に近所の人が集っていた。平日なのに子供もたくさんいる。神社の役員が我々のようなカメラを首から下げた部外者に指示を与え始めた。

「拝殿の前までですから、入れるのは。ダメダメダメ、あんた！　拝殿に上れるのは取材陣だけですからね」

オレはさっそく取材陣の顔をして拝殿に上る決意をした。だって、この連載のための取材だもん。

ゾロゾロ社務所から神主を筆頭に神服姿の人が現われ、拝殿の前で一列となった。その中で何だかとんでもないカラフル野郎を発見！　近寄ってみると口のまわりが真っ青、ミスター・ジャイアンツよろしくのヒゲ剃り痕《あと》を強調したメイクに、ビートたけしの鬼瓦《おにがわら》権造《ごんぞう》チックなマユ毛を描いた子供が二人立っていた。ファッションも一人は山伏《やまぶし》風、もう一人は赤に黒、大蛇のような帯をしている歌舞伎風。〝うーん、これはどうかしているぞ！〟、オレはすっかり目が醒《さ》めた。前に回って必死でシャッターを切る。

歌舞伎風鬼瓦権造少年（以後カブキ少年）の方は、こんなカッコさせられてるのが嫌なのか、ポケモンの予約も出来なかったのか、カメラオヤジたちがうれしそうに自分を撮るのがムカつくのか、諸事情で表情は終始ムスッとしていた。でも、そうでもしてないとこのメイク、ヘラヘラしてるとサマにはならない。山伏風鬼瓦権造少年（以後、山伏少年）の方は、

山伏少年登場っ!
ヒゲ濃い!!

カブキ少年登場っ!
ホラー!!

和製チャイルド・プレイ!!

将来まだトラウマとしては残らないレベルのメイク。でもヒゲ剃り痕真っ青メイクは、この紅葉の季節に一層浮き上って見えた。

「さぁさぁ強飯式が始まりますので、一般の方は拝殿より下って、下って」

オレは大きなカメラを持つテレビ局の人たちに混じって、堂々と拝殿の迫《せ》り出した縁側に座り込んだ。

拝殿の中では烏帽子《えぼし》を被った四人の神主と向き合って、まるで結婚式の親戚席のような人たちが神妙に座っている。一人一人、名前を呼ばれると立ち上り、奥にある祭壇に祈りを捧げた。

オレはこの中のどの人が子供に大盛り飯を突きつけられ、口いっぱいにほおばらされるのかを予想していた。〝うーん、あの奥の神官が怪しいとみた！〟

しかし予想は裏切られた。このフィーリングカップル五対五のような儀式は終り、次に出て来た二人、頭にクズ籠のような帽子を被り（いや、被らされているカンジ）、白装束姿で畳の上に正座し（いや、させられ）、目の前に何だろう？　アレ……、月見の夜にダンゴを載せるような台にタマゴ大のモノが山積みされている。

オレよりは歳下の感じだが、社会人ならもう係長クラスの風貌をしている。そんな人が何の因果か、見物人を前にしてとんまなファッションで正座させられている。その表情の堅さがこっちからしたら失礼にも〝プーッ〟と吹き出しそうだ。

するとに拝殿に続く廊下から、先ほどの山伏少年が現われ正座男の前に立ちはだかった。

「一杯二杯にあらず七十五杯！」

よく通る声でそう叫んだ。〝七十五杯って、アンタ……〟

そしてもう一声「一粒も残してはならんっ！」、〝そりゃムチャでっせ……〟

オレは全く状況が読めないまま、片手でカメラ、もう一方ではビデオを回し続けた。

〝ドン！　ドン！　ドン！　ドン！　ドン！〟

後方でものすごい地響きが起った。一作目『ゴジラ』で、姿を現わさず足音だけが響いたあの不気味なカンジ。恐る恐る振り返るとアイツだ！　カブキ少年。一歩一歩、畳が凹《へこ》むぐらいの勢いでゆっくりゆっくり正座男の前に近づいていく。

「こらっ――――っ！」

〝い……いきなり何やねん！〟

ジャンプしたかと思うと、片膝を突いた姿勢でタンカを切る。「一杯二杯にあらず七十五杯っ!!」、流石《さすが》メイクもスゴイが声にドスが利《き》いている。オレまでオヤジ狩りに遭ったようにドキドキしながら状況を見守った。

〝ドン！　ドン！　ドン！　ドン！〟

また来た道を戻るカブキ少年。そんな歩き方、家でしたら怒られるでしょ。ギロッと振り返った。そしても一度、めっちゃ怖い声で「一粒も残してはならんっ!!」と一声、やっと帰ってくれた。

取り残された正座男、子供といえどファンキー過ぎメイク二人に怒鳴られ頭を垂れたまま。

つ…次はオレの番か…
トボボ
モゴ…モグモグ…
うーん いい大人なのに…
パッカ
パッカ
おうまさんに乗ってギャロップ♪
里イモの山
KODOMO GOHANSHIKI!? What!?
一杯二杯にあらず七十五杯〜〜〜っ!!
めちゃブスッとしてる
カブキ少年
一粒も残してはならぬ!!
山伏少年
剃り後濃

そこに神官が登場、目の前に積み上げられたタマゴ大のものを手に取り、正座男の口に突っ込んだ！

〝モゴモゴ……〟

も一人の正座男の口にも〝モゴモゴ…モゴ……ウッ〟

オレがてっきりやられ役だと予想していた神主は山伏少年&カブキ少年の手先なのか？

もう一個！　どうやら里芋のようだ。

〝モ…モゴモゴ…モゴ……〟

メガネの奥の目はマジだ。笑っていい…の？　まわりを見渡すと数人、爆笑してる人がいる。じゃ…オレも〝プーーッ！〟

結局、正座男は二個ほおばらされただけだった。〝よかったね、それで済んで……〟でも、あれほど「残してはならんっ!!」と言われていたのに大丈夫なのか？　オレは後々のことまで心配した。

しかし正座男への責めはそれだけではなかった！　今度は違う神主が登場、手に杖のようなものを持ち出した。よく見ると先に馬の顔が付いた杖だ。正座男は立たされ、そして一人ずつ、かつて、うつみ宮土理先生の『ロンパールーム』で〝おウマさんに乗ってギャロップギャロップ♬〟と股にはさんでガキが飛びはねていたあの感じで、大の大人が畳ステージの上をグルグル回されている。

もはや単なる怒鳴られっ放しの正座男ではない。おウマさんに乗ってギャロップ男に変身

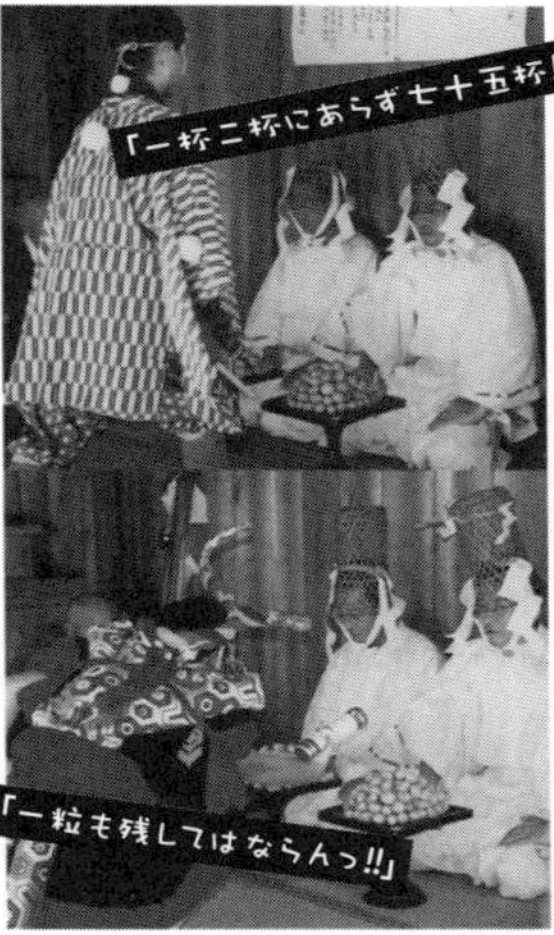
「一杯二杯にあらず七十五杯!」
「一粒も残してはならんっ!!」

モグ…
モゴモゴ…
モゴッ…!
ウエッ…!
モゴ…
モゴモゴ…
もう勘弁してっ!!

したのだ。一周ならまだしも、三周はちょっと気の毒でっせ、ましてや人前ですやん！

オレはこの不思議な状況でも、一応元・関西人としてのツッコミは忘れなかった。

祭りの儀式はそれで終り、オレはいつ何時、ファンキーメイクな子供たちが飛び出してきて「一粒も残してはならんっ!!」と怒鳴るんじゃないかという不安を胸に参道を下った。

収穫感謝と豊年祈願、社務所で教えて頂いた強飯式の意味。「はぁー、なるほど」と、うなずいてみせたが、初めて見た衝撃プレイの数々が頭に焼き付いて離れなかった。

牛祭りの巻

牛祭り

開催場所　京都府京都市右京区　広隆寺
アクセス　京福電鉄嵐山線太秦駅下車
開催時期　毎年10月10日（ただし、現在は中断している）

【京都市観光協会】
〒606-8342　京都府京都市左京区岡崎最勝寺町
電話 075-752-0227
http://www.kyokanko.or.jp

（上記のデータは全て2004年6月現在のものです）

実はね、十月十日（体育の日）オレは再び和歌山県日高郡川辺町の『笑い祭り』会場にいた。

この連載も一年を越え、軽過ぎる腰と無駄な努力で日本各地の『とんまつり』を回ってきたが、やっぱ忘れられんわけですよ『笑い祭り』。どこに出しても恥ずかしくないというか、どこで、誰に言っても受けるわけですよ『笑い祭り』。

「志村けんのバカ殿メイクよりもワイルド！　両ホホに〝笑〟って文字が真っ赤に書かれ、RCサクセション全盛期のような衣装で村を笑いながら練り歩く！　本当、どーかしてるぜっ!!」

写真を見せると人は一瞬言葉をなくし、そして次の瞬間笑い転げる。そこがまるで『笑い祭り』の会場のように。

「この笑いメイクのおじいさんは毎年やってんですかねぇ？」

「たぶんやってんだと思うよ」

「体育の日ですよねぇ、どこでやってんでしたっけ？」

相手は確実に行きたがってるわけだ。「行った方がいいよ、本当！」、祭り自体は十二時頃始まるんだけど、オレは「一時間ぐらい前に行った方がいいよ」って勧める。笑いメイクのおじいさんが本番前、そこらへんをウロウロしているからだ。「オフは到《いた》ってフツーの表情してるからさ（笑）」

オレは今年も一時間ほど前、〝どーしてもこの目で見たい！〟という、東京から駆けつけた同志四人と会場である川辺町の橋の袂《たもと》に立っていた。

「ほら、あそこにいる！」

オレは御輿《みこし》や獅子舞いに目もくれず、川の中州に座り込む数人の男たちを指さした。紋付袴姿の男たちに混じって一際《ひときわ》サイケ色を放っている怪人！　みんな強い陽の光を避けるように頭からスッポリ赤色のタオルを被っている。

オレは同志を連れてジワジワ接近、カメラを向けた途端、怪人は赤いタオルを取り「アッハハハハ　アッハハハハッハッハ」と、オフにも拘《かかわ》らずサービス笑いをしてくれた。

〝やっぱりあの人だ！　去年と同じ、あの笑い怪人だ!!〟、オレは何だかとってもうれしくて、挨拶が出来るほどフランクな仲じゃないがペコリと頭を下げた。〝来ましたよ！　今年も!!〟「アッハッハハハ！　アッハッハハハ！」、オレも負けじと「アッハッハハハ！」。

いろんな雑誌やテレビでこの祭りのことを紹介したもんだから、「あっ！　やっぱり見に来てる!!」と、ファンの人から声を掛けられた。

「みうらさんが言う通り、スゴイですねぇーこの祭り」「でしょ!!」

オレは自分のことのように得意気だ。

「あの笑いのおじいさん、今年で二年目らしいですよ」と教えてくれる人もいた。ということはオレ、あの人の全ステージを見てるってことになる。「やっぱ九十八年のライブがサイコーだったね」なんて、今後ツウっぽく語れちゃうわけだ。うれしい！

祭りが終っても興奮醒めやらぬまま、オレはその足でJR紀勢本線で大阪入り。京阪電車に乗り継ぎ夕方には京都に着いた。本日はハードにも祭り二連発！『とんまつり』あるとこ行きまっせ!!

紅葉の季節と休日が重なって、京都の街は観光客でごった返していた。ここはオレが十九年間、生れ育った街。温か過ぎる両親の保護の元、何不自由なくフヌケな青春時代を送った街。ロックを知ってこのはんなりした雰囲気を嫌悪し飛び出した街。あれから二十年以上オレは東京に住みつき、何だか観光客気分で京都を訪れるようになってきた。

「こんな夜、何かありますの？」

四条大宮から乗ったタクシーの運転手が聞いてきた。車中の会話から当然オレたちを観光客だと思っている様子。

「広隆寺《こうりゅうじ》で八時から〝牛祭り〟というのがあるって聞いてきたんですけど」

「うし？まつり……、知らんなぁー」

地元の人もあまり知らない京都の奇祭『牛祭り』。オレも十九年間、実家の近所なのに全く知らないでいた。

夜の広隆寺、境内。〝神面授与〟と書かれた売店の電気しかなく、あたりは闇に包まれていた。それでも山門前、特設に組まれたステージ脇にはゾロゾロと人が集り始めている。ここは国宝第一号の弥勒菩薩像《みろくぼさつぞう》で有名なお寺。小学生の頃から仏像を見るのが大好きだったオレは何度も足を運んだ所。恐山でイタコに呼び出してもらうはずだった祖父とも来たことがある。オレは超人気の弥勒よりも、その前に鎮座する千手観音座像の大ファンだった。あぁ、今は昔——

暗い境内、そんな気の遠くなる回想をしていると、特設ステージではなく本堂に近いところで何やら人の動きが見えた。もうとっくに八時は過ぎている。

「この参道、牛が通るから下って！　下って！」、法被《はっぴ》を着た役人が見物客の前にロープを張りめぐらした。

昼間の『笑い祭り』の余韻がまだ残っていたせいか、何やら厳粛な祭りの始まりに気が追っつかない。

どうやら山門ではなく広隆寺の脇、観光バスが止る広い駐車場から行列は出発するらしい。カメラを構え焦って走り出したものの、提灯《ちょうちん》や松明《たいまつ》を持った行列は一向に進む感じはない。ただただ暗闇の中で不気味に立ち尽しているだけだ。

「いつ始まるんですか？」

オレは、そのはんなり&のんびりした進行にイラ立ち、隣に立つ役人に聞いてみた。

「牛が調子悪いみたいやさかい、その内やろなぁー」

どうやら牛待ちということだ。あぁ、何て気の長いことよ！

それから待つこと数十分、やっと行列は進み出した。

「危ないで、どいてや、どいてや」

松明の火が暗闇を破り、ゆっくり近づいてくる。その後ろで自衛隊のようなカッコの人が、飛び火に消火液を撒《ま》いている。その〝シューッ〟という消化器の音だけが静かな街に響く。

ブ…不気味なヒーロー
牛に乗り
見参っ!!

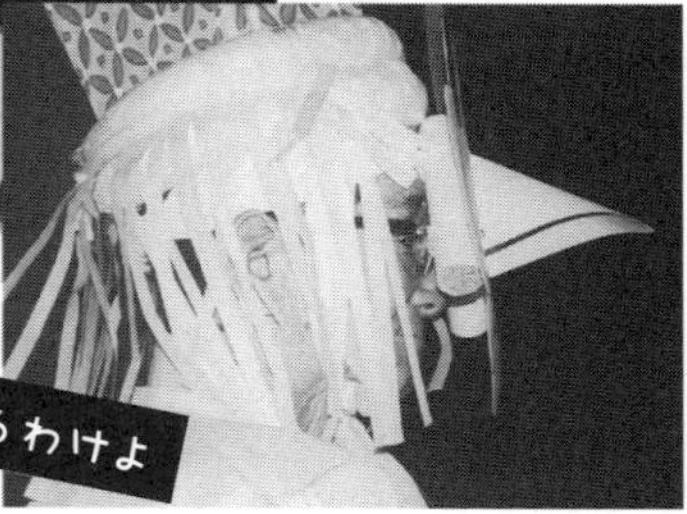
横はこーなってるわけよ

鼻の穴から出た顔、
コワ過ぎっ!!

何十人という行列なのに鳴りものはなし、もちろん「アッハッハハハ」の笑い声もなし、ただただ静寂の行進は寺を抜け公道に出た。

「ちょっと待って、ゆっくり」

役人の声がする。行進はゆっくり止る。何事もなかったように紋付法被を着た人たちはその場に佇んでいる。〝どーした！　元気がないぞみんな!!〟『笑い祭り』とのギャップがオレを戸惑わせた。

行列の後方にミョーな人？　いやミョーな神面を被った人、発見っ!!　よく見ると牛に乗っている。〝調子悪いみたいやさかい〟の牛だ。

近づいてみるとその神面、まるで蛭子《えびす》能収《よしかず》さんの描くマンガのキャラのようだ。すなわち幼稚で不気味!!（失礼！）真っ白の顔に、福々しい耳。白目をむいて、鼻は天狗のように異常に高い。

横に回り込んでみる。正体は白装束を着た老人。オデコにピッタリと面を貼り付けているのが分る。その高い鼻の部分に空けられた小さな窓から外を見ているのが、さらに不気味！

これはきっと日本の神様ではないだろう。韓国、中国、いやもっと遠くシルクロードを渡ってインドの方から来た神様かも知れない。提灯に書かれた文字には〝五穀豊登　摩吒羅《まだら》神《しん》〟とある。うーん、どこかの国の言葉を漢字で当てたに違いない。うーん、そこらへんは荒俣宏さんに聞いて欲しい。オレには分らん！

牛がまたゆっくり歩き出した。行列もそれに合せ、また何事もなかったように歩き出す。

牛祭り見参!!
摩多羅神
横から見ると
こう〜
松明の落ちた火を消す人
シュー
ガヤガヤ
ガヤ
ガヤ
牛祭
赤鬼
青鬼
ここから人の顔が見えブキミ
う〜ん…何だか異国っぽい…ブキミな夜…
ドキドキ
USHI-MATURI
What!?

京福電鉄、太秦《うずまさ》駅前に人だかりが出来ている。ガヤガヤするわけでもなく、見物人もその静かな祭りをただ見守っているだけだ。

どうやらその行列は広隆寺のまわりを一周するらしい。オレは京都に住んでた頃からせっかちだったが、東京に出てさらにグレードアップしたせっかちさで、行列の先頭をも抜かし先回りすることにした。

〃牛歩〃、その言葉どこかで聞き覚えがある。そうだ何年か前、国会中継で見たバカげた光景。時間を少しでも稼ぐため、牛のようにゆっくりした足取りで議会の壇上を歩く国会議員たち。名づけて〃牛歩戦術〃、何じゃそりゃ⁉ こんなオレだって日本を憂えたもんだぜ。

赤鬼、青鬼が道の両脇に立ち、ゆっくりと進んでくるのが見える。彼らの面も紙で出来た平面もの。高い鼻の穴から人の目がギロギロ覗いている。

どうやらまた牛が休んでいる様子。行進はゆっくり止る。「もーう！」これは牛の鳴き声のマネではない。イライラしているのだ！

「どうなってんのかねぇー」

オレは聞えるぐらいの独り言まで言った。

「何年か前は牛の調子が悪うてなぁー、この祭り中止になったらしいでぇー」

見物人の誰かがのんびりした口調でそんな会話をしている。〃それでいいわけ⁉ それで納得するわけ⁉〃オレの気持ちは完全に京都に住んでたあの頃に戻っていた。

〃もう！ はんなりし過ぎやで‼ この街‼!〃

これが
牛歩戦術か…

また、
休んでる！

やっと行列は広隆寺境内に入り、やっと特設ステージに活気が漲《みなぎ》った。牛を降りた神面と、赤鬼・青鬼のメンバーがやっとステージに登場した時、九時半はとっくに回っていた。聞き取りにくい経文をゆっくり&はんなりで読み上げる神面。〝もーう！　そんな調子だと朝になってまうがな!!〟

オレは遂に我慢の限界。それでも一応、神面授与と書かれた売店で謎の神面を自分の土産として購入、広隆寺を後にした。

「アッハハッハハハ」

『笑い祭り』のサービス過剰な躍動感と、『牛祭り』の異常なまでの静寂感。オレの頭は今日一日、混乱しまくっていた。

悪口《あくたい》祭りの巻

悪口祭り

開催場所　栃木県足利市　最勝寺
アクセス　ＪＲ両毛線足利駅・東武伊勢崎線足利市駅より
　　　　　車で約20分
開催時期　毎年12月31日～1月1日

【足利市観光協会】
〒326-0053　栃木県足利市伊勢町3-6-4
電話 0284-43-3000
http://www.ashikaga-kankou.jp

（上記のデータは全て2004年6月現在のものです）

一九九九年、十二月三十一日、夜——

要するに大晦日《おおみそか》。フツーならコタツにでも入って、今年のレコード大賞は誰だとか、今年は小林幸子と美川憲一、どっちに軍配が上るかとか、くだらない話をしながら迎える夜。それに加え今年は日付けが変ると二〇〇〇年。猫も杓子《しやくし》も〝二〇〇〇年問題〟とやらに振り回され、パソコンを持つ者は半ばワクワクしながらその画面を見続けていることだろう。

オレはクリスマスあたりにひいたカゼが治らず、セキと悪寒《おかん》に責められながら生れて初めての大晦日とんまつり現場に立っていた。

毎年この時期、田舎の両親を連れ温泉旅行先で正月を迎えるという聞えだけは親孝行な風習（親孝行為）があったが、昨年親父が定年を迎え「正月料金が済んでから行こう」という経済的なプランに変更した。

両親のいない初めての大晦日。オレは何だか高校生ぐらいの気持ちに戻って、あの頃憧れていた友達や恋人（とは言っても当時は対象がいない）と夜中、カウントダウンを迎えるみたいなスウィートな自由に酔いしれた。

が、浅草駅から東武鉄道に乗り栃木県・足利市駅に降り立った時、ただでさえ寒い夜、渡良瀬川《わたらせがわ》の冷たい風をモロに受け悪寒は最高頂！　ブルブル＆ガタガタ……。それでも『とんまつり』ある所、どこでも参上！　のスローガンは曲げるわけにはいかない。駅前のコンビニでパンスト購入、男子トイレで下半身完全女性武装。

タクシーに乗り込み、いざ〝大岩山毘沙門天　悪口祭《あくたい》り〟会場に向った。どんどん山の方に向う、どんどんどんどん……

きっと昼間でも寂れた道。ほとんど電灯のないあぜ道、タクシーは暗闇に吸い込まれるように進む。オレは車中、旅人が狐にダマされる落語『七度狐』を思い出していた。

「帰り、タクシーとか拾えますかねぇ？」

拾えるわけないいな、と思いつつ運転手に聞くと、「電話で呼んでもらえれば行きますが」というホッとした返答。しかし「うちの会社、夜中の一時で終りですんでそれまでだったら」という不安な付け足し。

そうこうしている間に、『提灯《ちょうちん》行列出発地点』という看板が見え、警備員に「車はここからは入れません」と駐車場のような広場の前で止められた。オレは必死に「一時までですよね！」と念を押し、タクシー会社の名刺を握り締めた。

時計を見ると十時を回っている。広場では三、四十人の人が白い息を吐きながら屯《たむろ》していた。

「もう出場者の方はいませんかぁー？」

よく見ると、広場の隅にマイクスタンドが立っていて『悪口大声コンクール大会』と書かれた看板が立っていた。

「はい！」

若者が手を上げ、マイクスタンドに近づく。そして一声、「バカヤロ――――!!」と叫んだ。

そう、この祭りは〝悪口〟と書いて、悪口《あくたい》祭りという。一年の憂さを「バカヤロー!!」と叫ぶことによって晴らそうというものだ。聞くところによると、一年間に積もった怒りや悪夢をすべて大声に出し、夢を食うという架空の珍獣バクに食ってもらうという祭りらしい。初めは「バク様」と呼ばれていたものが、「バク野郎」➡「バカ野郎」に変化したというが、本当か？

『悪口大声《あくたい》コンクール大会』の優勝者は一万円がもらえるらしい。オレも自慢じゃないが大声ストだが、ダメだ！　カゼで声も出ない。

「さぁ、みなさん。そろそろ出発します」

法被《はっぴ》を着た役人が屯している人々に声を掛ける。どうやら街灯も全くない真っ暗闇の山道を登るらしい。みんな特設テントに集り、〝大岩山毘沙門天〟と書かれた提灯を買っている。こんな闇の中、突入するのだから己れの光は己れで確保しろってことだ。カゼなどと言ってられない！　これは命に係《かか》わる!!

オレも慌てて千円で提灯を買い、出発した人々の後を必死で追った。

暗闇に足元だけを照らす光が揺れている。見上げれば気持ち悪くなるほどの満天の星。

山道はうねり、足はガクガク。でも弱音を吐いている場合ではない。この人の群れから外れると、映画『ブレア・ウィッチ・プロジェクト』な森に一人取り残されてしまう！

するると突然、後方から、

「バカヤロ―――!!」

の大声。

続いて前方「バカヤロ――!!」、隣で世間話をしていたアベックも「バカヤロ――!!」

遂に始まったバカヤローの嵐。

オレは今、一年間積もり積もった人々のウップンの中にいる。暗闇の中、提灯の明りでボ
ーッと浮き上る人々の顔。

「試験勉強のバカヤロ――ッ!!」

そんなバカヤローすら恐い顔に見える。どんどん山道を登ってゆく。終着点は全く見えな
い。どんどん悪寒がひどくなる。セキも出やがる！　も――っ、カゼの「バカヤロ――!!」。

オレも控え目に参加した。
四、五十分登ったろうか、暗闇の山頂に小さな明りが見えた。さらに進むと、そこが大岩
山毘沙門堂であることが分った。

もう少しだ……急な石段をヤケクソで登る。

〝ハァハァハァハァハァハァ……〟

こ…こ…殺す気か！　もう!!

時計を見る。十一時半を過ぎていた。オレの猶予は後、一時間半を切った。一時までに電
話をしなけりゃ、この山で朝を迎えなきゃならない！　いや、その前に確実に凍え死ぬ。ポ
ケットから携帯電話を取り出す。な…な…何と！〝圏外〟。

ど―するオレ!?　オレの二〇〇〇年問題はこんなことだったのかっ！

〝いろんなことがあったなぁ―、オレの四十一年間の人生。短かくもあり、長くもあ

〃皆様どうぞ奮ってご参加下さい
悪口《あくたい》大声コンクール大会
《あなたの一声、1万円コンテスト》
主催：大声コンクール実行委員会

「バカヤロー!!」

寒過ぎだぞ…

こんな絵ハガキ
誰に出すんだ!?

り――〃

お、おいっ！　悟ってる場合じゃない!!　もうこうなれば毘沙門堂で電話を借りるしか方法はない。もうどーにでもなりやがれ！

オレの待ち望んでいた儀式は「バカヤロー!!」ではなく、二〇〇〇年を迎えた一月一日の午前〇時から本堂で行なわれる〃滝流しの式〃というものであった。ネーミング自体はとっても美しい響きをもった式ではあるが、それはそれはとんでもない、思わず「どーかしてる!?」と叫びたくなるものだった。

オレはかつてそれを知人から送られてきた絵ハガキで知った。先《ま》ずはその絵ハガキ（一九一頁）を見てもらおう！

坊さんが立って何やらヤカンのようなものから水を流しているのが分る。その下にはハゲ頭のオヤジ、大きな杯でそれを受け取め一気に飲み干している図だ。問題なのはその水（たぶん酒）が杯に落ちるまで、ハゲ頭のオヤジの額を通過しているところだ。己れの頭に流れた酒を飲む、これが〃滝流しの式〃というやつらしい。ま、他人の頭を流れたものを飲むよりはマシだが、どうも不衛生なカンジは否めない。

オレはこれを見たさに大晦日、わざわざここにやって来た。いつものように右手には一眼レフ、左手にはビデオカメラ。いつ始まってもいいように、フルメタルとんまつり状態！

「〃滝流しの式〃はこの本堂の中で、十二時から始まります。二千円お納め下されば祈願が受けられますが――」

ードカヤロ
バカヤロ〜!!
毘沙門天の冠(紙製)
ブレア・ウイッチな森
マジギレ
バか!!
バカやロ!!
大岩山 毘沙門
笑っちゃーいけないよな
注・やっぱ酒が流れやすい額が一番!
みんなマジッス…
額に流れる酒
ジョロジョロ
額を流れた酒を一気飲み
滝流しの式
AKUTAI-MATURI What!?

オレは入場料と思い、受け付けで二千円を払った。そして本堂向って左、赤い毛氈《もうせん》が敷かれた〝滝流しの式〟ステージの最前列に座り込んだ。

外では駐車場広場で行なわれた〝悪口大声コンクール〟の優勝者が発表されている。二〇〇〇年まで残すところ後、一分ちょっと。弥《いや》が上にも盛り上る大岩山毘沙門天！

「五、四、三、二、一」

ワァ〰〰ッ!!

先ほどまで「バカヤロー!!」と叫んでた人たちが喜びの声を上げている。

お堂の中は外の歓声を余所《よそ》に、数人の僧侶による厳かな儀式が始まった。読経に続き、密教法具による護摩法要。照明は一斉に消され、燃え上る炎だけが堂内に怪しく揺れていた。

「それでは〝滝流しの式〟に移りたいと思います」

〝いよいよだ……〟

「御名前を読み上げますので、速やかにこの場に座って下さい。茨城県〇〇〇〇様――」

堂内に照明がついた。赤い毛氈ステージには酒の入ったヤカンを手に持つ僧侶が立っていた。若い僧侶が名前を呼ばれた人に何やら説明している。大きな赤い杯を口元に寄せ、神妙な顔つきで流される酒を待っている。

〝ジョボ　ジョボ　ジョボ〟

酒が鼻筋をうまく通過せず、目の中に入った様子。大丈夫か？　右手を上げ〝もう、ストップ〟の合図を出している。やっぱ例の絵ハガキのように障害物がないハゲオヤジじゃない

ジャジャジャ〜

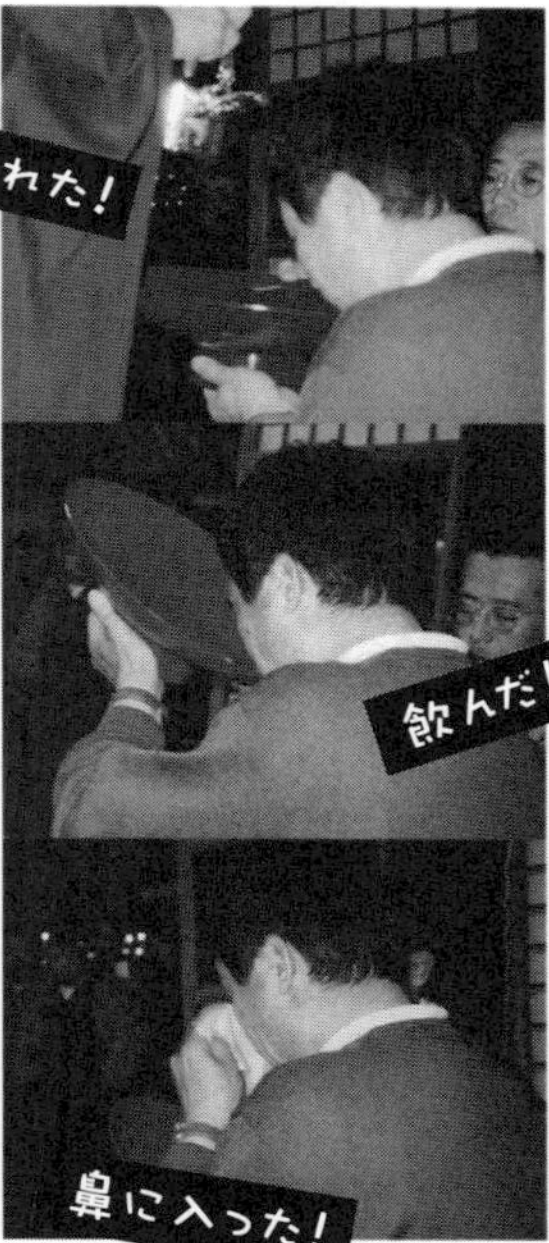
流れた!
飲んだ!
鼻に入った!

ジャジャジャ〜

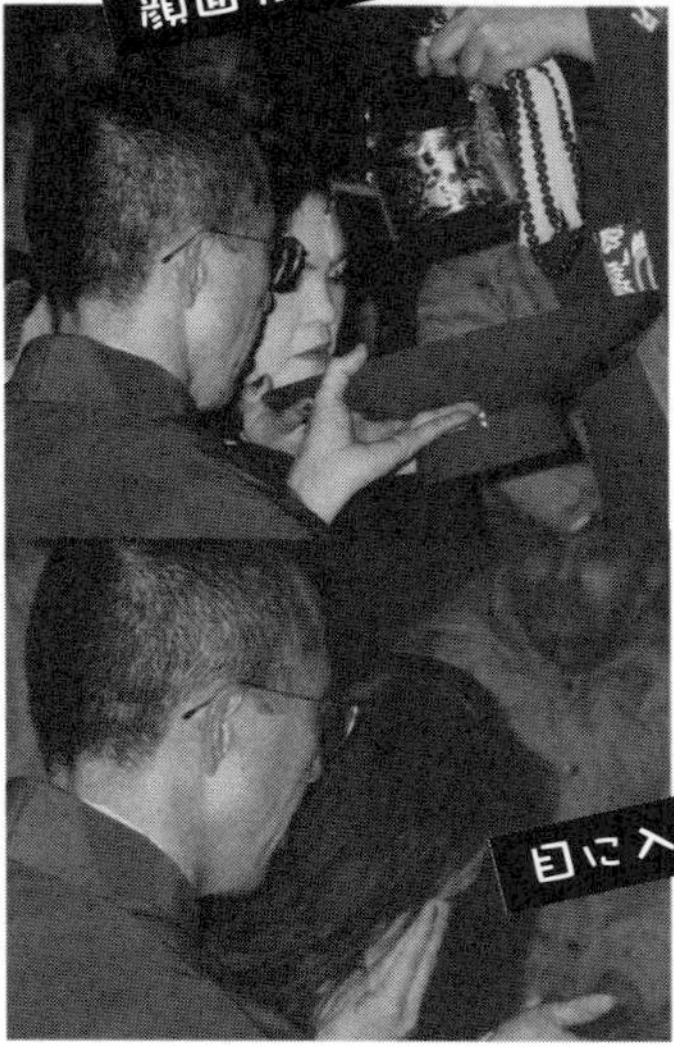
顔面発射!!
目に入った!!

と、うまく流れないとみえる。

それから続々とオレのまわりの人たちは名前を呼ばれステージに座った。〝プッ!〟また酒が目に入ったらしい。オレはカメラのファインダーからその様子を見、小さく笑っていた。

その時!

「東京都の三浦純さん」

オレの名前が読み上げられたではないか! 受け付けで聞いた〝祈願が受けられる〟とは、この儀式に参加することだったのだ。

〝し…しまった!〟

オレはその時思った。だって、カゼで四日間も頭を洗っていなかったからだ。

「メガネをお外し下さい」

仕方ない……

「東京からわざわざ御苦労様です」

〝あ、どうも〟と言い返そうとした時、四日間も洗ってない頭から冷たい酒が流れてきた。一九九九年の汚れを一掃し、二〇〇〇年にリフレッシュ! オレは必死に〝もう、ストップ〟の合図を出し、仕方なくそれを飲み干した。

オレの二〇〇〇年の始まりは、こんなアブノーマル・プレイで幕を開けた。祈願の甲斐あってか、〝滝流しの式〟は一時前に終了し、携帯電話棒一本ギリギリ電波状態で帰りのタクシーが呼べたのだった。

ヘトマトの巻（前編）

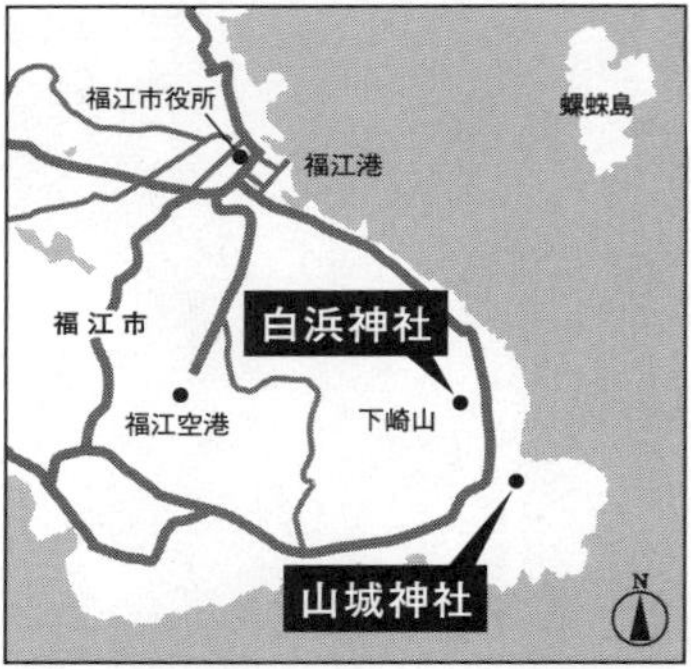

ヘトマト

開催場所　長崎県福江市　白浜神社、山城神社
（相撲大会は白浜神社、しまい奉納は山城神社で行なっている）
アクセス　福江港より車で約15分
開催時期　毎年1月16日

【長崎県福江市商工観光課】
〒853-8501　長崎県福江市福江町1-1
電話 0959-72-6111（代）
http://www.city.fukue.nagasaki.jp

（上記のデータは全て2004年6月現在のものです。2004年8月以降、市名が福江市から五島市に変わりますので、御注意ください）

オレは今でもそれを夢で見た記憶のように思い出している――――。

語源も、祭りの由来も定かではない〝ヘトマト〟。オレはその不思議な響きに誘われ、祭り前日の一月十五日、死ぬほど嫌いな飛行機に乗って長崎に着いた。

この空港には何年か前、一度来たことがある。高校時代、中間や期末テストが終ると必ず自分への御褒美《ごほうび》として見に行った日活ロマンポルノ三本立て。その中の一本に団鬼六原作のSM映画があって、オレはとりわけ谷ナオミという女優に股間を熱くした。

谷ナオミは主に高貴な夫人役を得意とし、悪い男の毒牙に嵌《は》められてはその柔肌を荒縄で縛られていた。

「ヒィ～～～～ッ！」

苦しそうに眉間にシワを寄せ、切ない金切り声を上げる谷ナオミ。ただでさえ大きな胸が縄で締め上げられブルルンと大きく揺れる。オレは数時間前に教室でテストを受けていたことなどすっかり忘れ、スクリーンに釘付けになった。ラストは大概、あれほど嫌がっていた性の調教、谷ナオミの方から「もっと～～、もっとよ～～っ！」なんて求めていたりする。オレは童貞ということもあって、ますます女性というものが分らなくなった。

映画館を出ればすっかり陽も落ち、親に言う遅くなった理由を考えながら家路に向う。〝オレは何のために生きているんだ？〟、そんな疑問が火照《ほて》り切った頭に浮かんでは消える。あぁ、青春、あぁ、谷ナオミ……気が付くとあれから二十年以上もの歳月が流れてた。

そんな谷ナオミがポルノを引退、九州・熊本でスナックのママさんをしているって聞いたのが数年前。オレはファンとして一度お目にかかりたくて仕方がなかった。

ある雑誌社に連絡を取ってもらい、谷さん本人から「お待ちしておりますわ」と返事をもらったと聞いた時、居ても立ってもおられず死ぬほど嫌いな飛行機に乗った。

「熊本空港上空は乱気流が発生しており、しばらく様子を見て着陸準備に入ります」

パイロットからの放送が機内に流れ、すっぽり頭から毛布をかぶっていたオレはその暗闇の中で震えながら祈りを唱えた。

しばらくして「着陸不可能のため、長崎空港に向います。大変、御迷惑をおかけします」とパイロット。いやいや、何でも構わん！　とにかく着陸さえしてくれれば……。

それから数十分後、オレはガクガクの足で長崎空港に降り立った。

「すいません！　飛行機の事情で今、長崎にいます。これから電車で熊本に向いますんで」

約束の時間に間に合いそうにないので谷さんに電話を入れた。

「それは大変でしたねぇー。気を付けていらして下さいね♥」

かつて聞いた高貴な夫人の声に、オレはかつて童貞だった高校時代の声で「は…はいっ！」と答えた。それからのことは『マイブームの魂』(角川文庫)に書いたので、よければお読み下さい。

そんな長崎空港。長い前置きで始まった〝ヘトマト〟の旅。目的地は長崎ではなく、そこからまたも飛行機を乗り継いでの五島列島、福江島。

「船もありますけど、四時間近くかかりますし、今日はもう便がありません」

ガチョーン！

往生際悪く一応、船という手段も当ってみたが、仕方ない！　今度はもっと揺れそうな小型機に乗り込んだ。

「三十分という短い旅ではありますが――」

スチュワーデスのアナウンス。オレにとっちゃー短くない！　短くないっ!!　またも毛布をすっぽり頭からかぶり、犯人護送状態。眼下には落ちれば必ず凍え死ぬ海が広がっているに違いない！

「着陸態勢に入りますので、シートベルトをしっかり締めて下さい」

オレはいつものように両足を前の座席の下に伸ばした。自動車の免許もないので、どちらの足がブレーキか、アクセルか分らないが、それでも力を入れて必死で踏み込んだ。パイロットだけに任せ切れない。オレも飛行機を止めるのに協力しているつもりなのだ。

〝キキキーッ！　ゴォ〜〜〜〜〜〜ッ!!　キキッ〟

もう一がんばりだっ！

飛行機はオレの協力もあり、やっとのことで止った。

「お疲れさまでした」

スチュワーデスに声を掛けられ、オレは見栄を張ってビートルズが来日した時のようにゆっくりタラップを降りた。

小さな空港前から市内に向うバスが出ていた。今日宿泊するホテルを告げると「いいとこで降してやるから」と運転手は言った。バスは途中、道路で手を上げる人を見つけるとバス停でもないのに停車した。「いいとこで降してやるから」とは、そういう意味だったのだ。

ホテルは福江港のすぐそばに建っていた。バスを降りると潮の香りが漂い、オレはいくつになっても治らぬ病気〝青春〟気分を満喫した。

「『ヘトマト』を見に、わざわざ東京から来なすったの？」

方言は覚え違いだと思うが、こんな感じでホテルのおばちゃんに驚かれた。

「『ヘトマト』って一体、何の意味なんです？」

一応、民俗学者風を装い聞いてみたが、

「サッパリ分らん」

とのこと。

それでも福江港から車で二十分ぐらい行ったところの神社で開催される情報を得、市内を少しぶらつき、その夜は就寝した。

「『ヘトマト』は大体、何時間ぐらいあるんですかねぇ？」

次の朝、長崎に向う船のチケットを買いに行った。飛行機だけは避けたかったからだ。

「一時ぐらいから始まって、そうねぇー一、二時間ってところじゃないかねぇー」

とってもアバウトだった。

「ジェットフォイルなら一時間半で長崎港に着きますがねぇー」

最終が夕方の四時。ま、三時間も祭りはやらんだろうとチケットを買った。

ヘトマト
駐車場
ヘトマト駐車場…
って何だぁ!?

えっ!?
何…アレ!!
近づいてみる…

巨大ワラジだ!!
変だ!!

タクシーに乗って二十分弱、海岸沿いを少し入ったところで車は止った。

〝ヘトマト開催中　通行止〟

と書かれた不思議議プレートが道路のド真ん中に立っていた。

「電話で呼んで頂ければ来ますんで」

タクシー会社の名刺をもらってポケットに突っ込んだ。

田舎ならどこにでもある道。ついこの間まで砂利道だったような道。日曜日というのに子供の声もしない。少し不安になりながら目的地である山城神社に向う。不気味なぐらい静かだ。

途中でフランクフルトを売ってるライトバンを発見、「あのぉー『ヘトマト』は?」と聞くと「そこ」と、アッサリ神社を指さした。

民家の脇道を入ると突然、神社。境内に人が集っているのを見てホッとした。

本殿の横、天蓋のついた土俵がある。そこでどうやら相撲大会が始まる様子。紋付を羽織った村役人の「集合——っ!」という掛け声で、そこいらにいた小学生クラスの子供が服を脱ぎ褌《ふんどし》姿になった。

「よーし、見合って見合って!」

たぶん地元の小学生は休日返上で、この相撲大会に駆り出されているに違いない。

「よーし、はっけよいのこった!　のこった!」

寒さに肌を真っ赤にし、子供たちが次々に相撲を取る。トーナメントといっても、よく見

バケツの中身は
ススだっ!!
うわあ!!
うわぁーっ!!
うわあ!!
もうめちゃくちゃだ!
地元のテレビ局も
やられたっ!
しっかりオレも
やられたっ!!

ているとルールはいいかげんだ。

今度は中学生、高校生クラス。この島の少年たちは全員強制的に相撲を取らされているのだろうか？　中にはアニメが好きで、家に引き籠《こも》ってビデオ・チェックしたい少年はいないのだろうか？　オレはどう考えても後者の方だったので、この島に生れなかったことに少しホッとした。

今度は大人だ。オレは帰りの船のこともあって、延々と続く相撲大会に不安を覚えた。土俵の上に三十人近くの大人。もちろん褌姿で、グルリと円を描いた。〝チビクロサンボ〟のラストシーン、トラが木のまわりをグルグル回ってバターになるような感じ。何か変だぞ！　この光景。

笑っている場合じゃない！　この時点でもう二時はとっくに回っている。

やっとのことで相撲大会は終り、褌一丁の男たちは神社を後にし、オレが今来た道を進んでいく。

祭りあるところどこにでも存在する（オレを含めた）カメラオヤジたちもその後について移動を始めた。

「次はどこで何するんですか？」

初老の先輩に聞いてみたら、

「その道に置いてある大きな草鞋《わらじ》を担ぐんだよ」

と教えてくれた。来た時は気付かなかったが細い道路の端、言われればなるほど〝草鞋〟

型をした巨大なオブジェが置いてある。それを担ぐ？　褌一丁の男たちが？　なんで？　よく分らない……。

褌男たちは総勢五十人近くに脹れ上っている。道路の真ん中に集合してバケツのようなものを手に持っている。時折、近くの海からド寒い風がビューと吹く。

「わぁ――――っ!!」

褌男は半《なか》ばやけくそな奇声を発し、バケツに手を突っ込んだ。〝ス……スだ！〟

「わぁ――っ!!」、突然道路では褌男のスス付け合戦が始まった。

オレを含めた見物人は少し離れた道路脇でその光景をニヤニヤ笑って見ていたが、ものすごい速度で走って来た褌男にパニック状態。

「わぁ――――っ！」

ススでベトベトになった手が、今度は見物人を襲う！

オレは冷静さを装い、カメラのファインダーからその光景を覗いていたのだが、次々にまわりが真っ黒にされていくのを見て、〝早くオレにも付けやがれ！〟って気になった。その時、背後から顔にヒヤッとした感覚！　とうとうスス野郎の仲間入りを果したのだった。

今度の祭りは参加型だっ！

（後編につづく）

ヘトマトの巻(後編)

オレはやっぱり文科系の人間で、それは一生治ることはないだろう。だから目の前で展開する体育会系モロ出しの祭り（ヘトマト）に、どこかビビリながら見ている自分が分る。その光景をカメラのファインダーから覗くことで少しは防備している気になっているのだ。

オレの両頬《りょうほほ》は先ほど背後から回り込んできた荒くれ褌男によってススだらけにされた。コートに垂れたススを落そうとしていると、

「おいっ！　ススは家に帰るまで落すんじゃないぞ」

と、叱られた。

「は……はいっ！」

四十一歳にもなって叱られるとは思わなかった。ものすごく酒臭い息、そんな体育会系には一生勝てるはずがない。

スス付けの儀式が終ったかと思うと、今度は何やら縄で編んだでっかい球が路上の真ん中に置かれた。

「あの球体の中には貝殻が詰ってるんだ」

毎年来ているのか、カメラオヤジの一人が得意気に説明を加えてる。確かに運んでくる時〝ガラガラ〟と、貝殻が擦れ合うような音がした。

紋付袴の村役人が「集合っ！」と声を掛ける。ススだらけの褌軍団は見物人を威圧するのを止め道路の中央に集った。何やら試合前にルールを説明しているようだ。

「そーれっ！」

〝ガラガラガラ〟

村役人が高く貝殻入りボールを放り投げた。それをキャッチしようと褌男たちは必死でぶつかり合う。どうやら白い鉢巻と赤い鉢巻でチームが分かれているらしい。ラグビーの要領で、味方にパスしている。しかし路上のどこにもゴールがあるわけではなく、ただただパスを続けている様子。見物人はもちろんのこと、プレイをしている本人たちもハッキリしたルールは把握していないように見えるのだが……。

〝ドーーン！〟

誰がタッチダウンしたわけでもないのに、村役人が突然煙硝入りのピストルを撃った。

何が決め手なのか分らないまま、またもボールは天高く投げられ、褌男たちは奪い合った。

「わぁーーっ！」

〝ヤバイ！〟

オレの方にボールが飛んできたっ!! 写真なんか撮ってる場合じゃない！ オレを含めた
カメラオヤジ、必死でその場からエスケープ!!

〝ドーーーーン!!〟

お…おいっ!! またかい！ 何が決め手になったのよ？

白い鉢巻の男たちが両手を上げてガッツポーズ。どうやら勝った（らしい）。

（オレは）納得いかないまま、村役人が白組に軍配。どうやらその球技が終ったことを告げ

このタマ、何!?

勝った…
(らしい)

ふんばる!
ふんばる!

ている。

息つく暇なく今度は路上に長い綱がドーンと放り出され、突如紅白チームに分かれ綱引きが開始された。

「そ――れ！」

〝ド―――ン!!〟

またもピストルの音が寒空に響き渡った。

「そ――れ！　そ――れ！　そ――れ！」

ふんばるふんばる！　今度は紅組が優勝だ。たぶんホモの人が見たら堪らない光景に違いない。

「そ――れっ!!」

〝ド――ン！　ド―――ン!!〟

もはや天才バカボンに出てくるお巡りさんのように撃ちっ放しのピストル。これはオレにもルールが分る。紅組の勝ちだ。

「それではもう一本、勝負！」

〝ド――ン!!〟

次も紅組の完全勝利。ウォーという歓声が紅組に起った、その時……、

「引き分けによりもう一本勝負っ！」

と村役人の声。

お…おいっ！　誰が見ても紅組の勝ちでしょ？　えっ!?　違うの？　オレが思ってるルールと……。

〃ドーーーン!!〃

またもピストルの音。紅組のメンバーの中にはその判定に首をかしげる者もいたが、陽気に試合続行。必死でふんばっている。

〃ドーーーン!!〃

やっとのことで紅組優勝。納得はいかないが、まずはホッとした。

一瞬静まり返る路上。そそくさと綱は片付けられ、今度は酒樽《さかだる》が二個、少し間隔を空けて配置された。

〃ザワザワザワ〃

神社のある方角から和服姿の娘さん二人、ススだらけの褌男の間を縫って登場した。手には羽子板を持っている。一体、何をしようというのだ！　オレの頭の中は、

〃WHAT？〃という文字の連続。

突然男たち（服は着ている）に抱え上げられる和服姿の娘さん、そのまま酒樽の上に登らされた。グラグラする酒樽を下で男たちが押さえている。

「それでは始めましょう」

酒樽に乗った娘さん二人、向き合って羽根突きを始めた。何の説明もないわけ？　ねぇ！　ねぇー！

〝ポーン〟

なかなか続かない。

〝ポーン　ポーン　ポーン〟

「いいぞ！　その調子!!」

掛け声が上る。ねぇ……、そんなことより一体これは何なわけ？　オレは黒い顔で思った。

「彼女たちは新婚ほやほやでなぁー」

またもカメラオヤジの一人が説明を始めた。で、何なわけ!?って聞いてんの！

〝褌男と和服姿〟このミスマッチが団鬼六先生の小説のようで、とてもエロティーーーック！

納得こそいかないが、オレちょっと満足。

数分の羽根突きプレイは終了。またも男たちに抱え上げられ娘さんたちはお立ち樽から降された。そして何食わぬ顔で退場して行った。

「わぁーーーっ！」

またも路上は褌男が占拠した。そして道路脇に置いてある巨大草鞋に向って突進！　今度は紅白混合で担ぎ上げた。もう何が何だかサッパリ分らない。

「えいさ！　えいさ！　えいさ！」

巨大草鞋が天下の公道を練り歩く。オレも必死でその後を追い掛ける。

途中、疲れが出たか？　巨大草鞋は地面に置かれ……おやっ!?

褌男たちが見物人の群れに乱入！　女を無理矢理抱え上げ、そして巨大草鞋の中に放り投

〝酒樽羽根突き娘〟
ヌードな男たちは寒さに負けじと大暴れプレイ！今度は変なボールを手にラグビーのような球技を始めた。何だ!? こりゃ…
うわぁ〜!!
うわぁ〜!!
うわぁ〜!!
うーん サッパリわけ分からん
ガラ
ガラ
ルールもよく分らんっ！
HETOMATO What!?
何の前振りもなく 天下の公道で始った羽根突き。和服姿の女性二人・何だかよく分らんが酒樽に乗ってのプレイ！
ただ見つめるヌードな男たち
真剣
ヘトマト恐るべし!!
酒樽に乗る

げたっ！

「キャ――ッ！」

女は嬌声《きようせい》を上げるが、顔は笑っている。

「あれは若い女しか乗せないんだよ」

またもカメラオヤジの説明が入った。なるほど、乗せられるっていうことは〝若い〟という証明であり、女もまんざらではないわけか。

女を乗せた巨大草鞋はまたも褌男の手によって担ぎ上げられ、胴上げ状態。

「キャ――ッ！　キャ――ッ！」

中で飛び跳ねる若い女。髪は乱れ、顔もぐちゃぐちゃになっている。

オレは必死でその光景をカメラに収めていたが、遂に腹の底から笑いが込み上げてきた。

〝プ――ッ！〟

オレはこの先もずっと文科系の人間だが、体育会系が織り成すファニーな儀式に心だけは十分参加している気になった。

巨大草鞋はワンステージ数十秒。またも地面に降され、褌男たちは次なる生贄《いけにえ》を捜し求めて奔走した。

今度は外国人の女が捕まった！　ラテン系か、満面の笑顔で草鞋ステージに放り投げられた。

「オー、ノー！」

突然、羽根突き！

巨大ワラジ移動！

ワラジ外国人

ブロンドの髪が巨大草鞋の中で激しく靡《なび》いている。アクションもオーバーで、ダイナミック胴上げ。見せる！　見せる！

今度はＷだ！　二人の若い女性が草鞋の中でもみくちゃにされている。嬌声もＷ！　村中に響き渡るようなボリュームだ。

巨大草鞋は胴上げを繰り返しながら、もと来た神社の方へ徐々に進んで行く。もう、みんなヘトヘト。

「ラスト！　ラスト！」

ジャージ姿の地元女子高生が天高く舞い上る。

オレは執拗に草鞋を追跡したが、夕暮れ迫る空の色と海から吹く冷たい北風で我に返った。

〝帰りの…帰りの船の時間は……⁉〟

恐る恐る時計を見ると、出航まで十五分を切っていた。

〝し…しまった！　このままじゃこの島に取り残されてしまう‼〟

携帯電話でタクシーを呼ぶ。「そりゃ無理でしょ」というアッサリした返事。汽船会社に電話を入れる。「もう一便、フッーのフェリーなら五時にありますけど」、仕方なくチケットを替えてもらうことにした。長崎港まで三時間四十分だという……オレもヘトヘト。ひょっとしてこの『ヘトマト』という祭りの語源は、ヘトヘトになるところから来ているのかも知れないな……。

あんなに賑やかだった道も、巨大草鞋が去った後には誰もいなくなった。〝祭りの後の淋

HETOMATO What!?
ヘトマト注意
・ヘトマトに出掛ける若い女の子は、必ずズボンをはいていくように。スカートだとパンモロ必至ですよ
オレは別にいいけどね…
キャー
お願いします!!
まんざらでもなさそうな顔
やめて…
エヘヘ
キャー
ワラジに乗りたがっている
ROLLING WARAZI CRUSH!
キャー
これはユカイなセクハラか…
ゴロッ
こりゃ何だかエロティ〜ック!!
エッサー
エッサー
エッサー

しさが——♬、吉田拓郎の『祭りのあと』がオレの心の中で流れ始めた。

さよなら福江島。さよならヘトマト。

感傷的になってしまったが、オレはその時点でまだ顔にススが付きっ放しになっていることに気付かないでいた。

ジャランポン祭りの巻

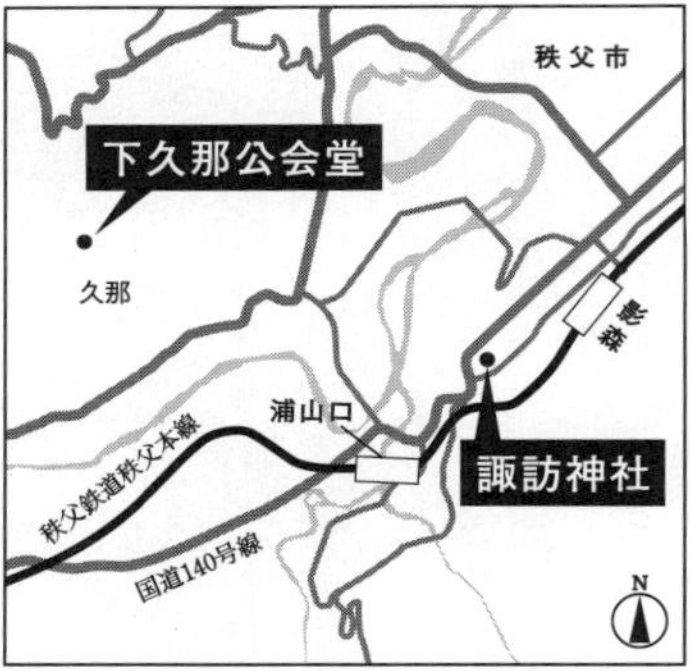

ジャランポン祭り

開催場所　埼玉県秩父市　諏訪神社、下久那公会堂
アクセス　秩父鉄道秩父本線影森駅下車、徒歩約25分
開催時期　毎年3月15日に近い日曜日

【秩父市経済農林部観光課】
〒368-8686　埼玉県秩父市熊木町8-15
電話 0494-25-5209
http://www.city.chichibu.saitama.jp

（上記のデータは全て2004年6月現在のものです）

〝打ち上げ〟という響きに弱くて、ついついそれがしたいばっかりにイベントやライブを企画することがある。

「みなさん揃いましたでしょうか？　それでは乾杯っ！」

借り切りの居酒屋、興奮醒《さ》めやらぬままグラスの冷酒を一気飲み。

「お疲れさん!!」

なんて大声出して、拍手が巻き起るその瞬間、その一瞬がやりたいばっかりにオレは今までやってきた。

しかしその快感も束《つか》の間、見に来てくれた友人の口からは、今終えたばっかりのイベントやライブの話題は消え、

「モーニング娘。がまた増えるそうじゃない？」

「この間の〝ASAYAN〟見たぁ？」

なんて、どーでもいい話の連発。嫌になるぜ！　本当。もう二度とやんない!!　と、その場は思うんだけど、また時がたてばあの一瞬がやりたいために企画してる自分。あぁ、カルマは急に止れない。

だからオレは人の打ち上げには極力出ないようにしている。お疲れさん！　の出演者をうまくホメてあげられないのにタダ酒を飲むのは気が引けるからだ。

〝午後五時頃に耕地の男たちは公会堂に集まり、焼酎を傾け大いに酔っぱらう。八時、酒宴もたけなわとなった頃、宴席の中央に突如棺桶《かんおけ》が運び込まれる——〟（『埼玉の祭り考』埼玉

県編)

何だかおもしろそうな祭り発見！　しかし、待てよ……人の打ち上げには極力出ないようにしてるって、エラソーに言い放ったばかりなのにどうよ？　知り合いもいないのにノコノコ部外者が酒宴に参加してる図って、そりゃ見つかりゃ袋叩きでしょ。

でも、宴席の中央に突如棺桶が運び込まれるんでしょ。おもしろいでしょ、そりゃ。祭りの名前は『ジャランポン祭り』（別名・お葬式祭り）、サッパリわけ分んないでしょ！　ね！

三月十二日祭り当日、〃とんまつり〃の誘惑に負けてオレは、池袋から西武線に乗り込んだ。ポカポカ陽気な午後、花粉症で鼻はグズグズ。大量なヨダレを垂れながら車内で熟睡。

終点、秩父駅で降りると目の前に映画『未知との遭遇』で見たデビルタワーのような山が聳《そび》えていた。さわやかな空気を胸いっぱいに吸い込んでも相変らず花粉症で鼻はグズグズ。

「すびばせんが本日の宿を……」

観光案内所で紹介された旅館に入り、酒宴までの時間を潰した。〃五時頃から飲んでんだもんなぁー、もうかなりベロベロでしょ、文科系と違って体育会系の酔っぱらいはタチ悪いからなぁー〃オレは完全に不安になっていた。でも人の打ち上げに参加するんだもん、文句は言えないな。

呼んでもらったタクシーが旅館の前に着いた。

「すいません。諏訪神社までお願いします」

「はぁ？　諏訪神社って……」

「あのぉー、今日ジャランポン祭りの行なわれてる諏訪神社ですが――」

運転手さんは知らなかった。無線で聞いてもらって、「行ったことはないが、大体分りました」と、走り出した。

「今夜はなぁー、恒持《つねもち》神社の方で花火大会があるで、人が多いんだけどねぇー。そのジャランなんとかって祭り、聞いたことないなぁー」

広い道路を抜けて、どんどん山道になってきた。ほとんど道には電灯がない。今度は畔道《あぜみち》、ハンドル操作を少し誤れば用水路にドボン！　今夜は確実に傾いたタクシーの中で泊るしかない。

「ここらあたりなんだけどねぇー」

七時過ぎ、あたりは真っ暗。遠くに民家の明りが見えるのみ。不安は募る一方、その時！　細い路地を曲がったその先、暗闇の向こうに光が点滅した。ものすごく強い光源が一瞬、あたりを照らし出す。

「鳥居だ！　鳥居が見えた!!」

この先に諏訪神社があるに違いない。オレは急いでタクシーを降り、点滅する光の方へ走り出した。

参道といっても左右に草がボウボウに生えた細い道。二十歩ぐらい歩いたら、すぐに小さな社が見えてきた。暗闇に光っていたものは、カメラマンのストロボ。社の前に二十人ぐらいの人が集っているではないか！　もうすでに祭りは始まっていたのだ。

オレはてっきり八時から公会堂という場所で行なわれるものと思い込み悠悠と時間を潰していたのだが、ジャランポン祭りのハイライトが今、正《まさ》に行なわれているではないか！

社の扉は開かれ、中に五、六人の人間が入っている。ハッキリ確認出来ないのは暗闇の中、時折焚《た》かれるストロボの光でやっと見えるだけだからだ。〝もっと光を！〟

かなり近づいてみた。そしてオレもストロボを光らせる。何だぁ!?　目の前に棺桶、しかも誰か入っている！　死人が頭に付ける三角巾をして、頭だけ棺桶から出しているではないか！

その後ろ、ローマ法王のような冠をかぶり、スーツの上から黒マントを羽織っている。どうやら死人を弔う僧侶の役らしく、お祓《はら》い棒を手に持ちブツブツお経を唱えている。

棺桶の脇に二人ずつ、うーん……何じゃそのマント!?　唐草模様の風呂敷を肩からぶら下げているではないか。手には葬礼の際に用いる宗教的な楽器を持ち、

〝チン　ポン　ジャラン　チン　ポン　ジャラン〟

と、大笑いしながら鳴らしている。

〝パシャ！　パシャ！　パシャ！〟

ふざけながら不気味なことをしている図が、フラッシュ・ライトに映し出され、さらに不気味さアーップ！　その上、野外にもかかわらず社のまわりは酒臭さで充満！

突然の出来事にオレはまだ心の準備が出来ないまま、ただただ暗闇に向けシャッターを切るのみ！　切るのみ！

暗闇に鳥居！
（コレ、30年以上前の写真）

一体、何を
やってるんだ!?

死んでいるのか!?

するると何だぁ!? 突然、棺桶のフタが開けられたと思うと、三角巾の死人がムクッ！ と起き上った。笑ってる！ 顔中シワだらけにしてゾンビが笑ってる！ 聞き取り不可能、何か喋ってる！「ありがとうございましたっ！」、こちらに向って深々と頭を下げた。ものすごーく酔っている様子。そしてラスト、両手を大きく上げ、

「バンザーイ！」

と叫んだゾンビ。

まわりはほとんどが関係者。きっと部外者はオレを含めて十人もいない。暗闇の神社に拍手が巻き起る。

「お疲れーっ！」

ゾンビを先頭に僧侶役、脇侍役連中がフラフラで参道を行く。オレはその姿をカメラに収めようと必死で後を追った。

「この後、公会堂の方で軽く打ち上げをやりますので、よろしかったら参加して下さい」

村役人がオレにも声を掛けてくれた。ハッキリ言って全くオレに関係のない打ち上げである。悪いと思いつつ、せっかくここまで来たんだしという甘えもあって、ゾンビに続いて公会堂まで行ってみた。

部外者らしき五、六人の者は、撮り足らないカメラを手に公会堂の前で躊躇《ちゅうちょ》していた。

「あんたらも入って下さい」

公会堂といっても大きな民家のような所で、オレらは恐縮しながら靴を脱いだ。

Jyaranpon What!?
ブッブッブッ ブッ
シャン
まっ……暗闇…
ドキドキ
何…やっとんねん!!
陽気なゾンビ
棺桶のフタをスライドしたっ!
供御
中松氏 郎久下
起き上った!
ものすごい笑顔だ…酒に酔っとる!!
ムク
バンザイ!!
うわぁ〜!! 死人が生き返った!
空悪疫
供御

「えー、これから最後のお経を誦《よ》みますので村の者は祭壇の前に集って下さい」

まとめようとする者と、グデングデンでまとまりようもない者。それでも最後の力を振り絞って、広い座敷の中央に村人たちは集った。先ほどまでの白装束と三角巾を取り、ゾンビもふだん着に戻って座ってる。頭はグラグラだ。

「このお経、十五回唱えますので」

オレは座敷の端っこで、これまたふざけているのか何だかサッパリ分らんお経を聞いていた。

公会堂の壁には、かつてのジャランポン祭りの写真がパネルにして掛けてあった。

「それはもう三十年以上前の写真だから、写ってる人はみんな死んじゃってるよ」

誰かが教えてくれた。

「昔、村内に疫病が流行した時に、病苦に喘《あえ》ぐ人々を救うために諏訪明神に人身御供《ひとみごくう》を献じてな、悪疫を退散したのが由来でなぁー」

突拍子もない祭りに見えたが、起源は切実な村人の願いだった。

「もう、これぐらいでいいかぁ」と、お経は途中で終り宴会はお開きとなった。やっぱり人の打ち上げには出るもんじゃない。オレは気の利いたセリフの一言も言えず、玄関先で靴を履いていた。

「お疲れさんでした」

後に続く村の人に一応、声を掛けると、

ゾンビが…

笑ってる!

バンザーイ!
した!!

宴会終了!
お疲れさんでした!!

「おねぇちゃん、どっから来たんだ?」

と、一声で分る酔っぱらい。今時、長髪だからといって女と間違えられる世界がまだこの日本に残っていたなんて!

オレは六十歳は越えてるだろうオッサンに背後から抱きつかれながら、やっとジャランポン祭りの打ち上げに正式参加した気がした。

うじ虫祭りの巻

うじ虫祭り

開催場所　愛知県豊川市　牛久保八幡社
アクセス　ＪＲ飯田線牛久保駅下車
開催時期　毎年4月7･8日に近い土・日曜日

【豊川市観光協会】
〒442-0068　愛知県豊川市諏訪1-1
電話 0533-89-2140
http://www.toyokawa-map.net

（上記のデータは全て2004年6月現在のものです）

「な、何？　それ」

その祭りの名前は『うじ虫祭り』といった。最近ではとんと見かけなくなったが、その昔、〝ポッチャン式〟と呼ばれた便所の下を覗くと必ずいた白きダーティ軍団。何が悲しくてそんな所で幼少期を送る。暑い夏、もちろん我が家にはその頃クーラーなどない。オレはダラダラと汗を流しさらに熱くなる行為をふんばりながらうじ虫を哀れんだもんだ。

うじ虫はやがて小蠅となり、上に登ってきてはオレのまわりをブンブンと飛び回る。上も下も、二世帯住宅さながらの賑やかさ。クソ暑いとはこのことだ！

オレの住んでた京都は下水整備の遅れで、高校を卒業してもまだ〝ポッチャン式〟との戦いは続いていた。ある日、街を襲った大雨が洪水を起し、床下浸水。ポッチャン式便所も当然水嵩《みずかさ》を増し、一夜にして明るかった家庭は惨状と化した。うじ虫たちは映画『タイタニック』のラストシーンのように、散り散りバラバラ、暗い大海に飲み込まれ、その姿を消した——。

数年後、我が家にも遂に水洗便所の時代が到来、オレはそれ以来、うじ虫を見たことがないし、「うじ虫」と発音するのも何十年ぶりのこと。

「今度、〝うじ虫祭り〟に行く」と友人に告げると、「な、何？　それ」という呆《あき》れたような返事が返ってきた。

「人が道に寝転んで、うじ虫のようにゴロゴロするらしいよ！」

友人はそれをわざわざ見に行くオレに対し大層呆れている様子だった。

四月九日、早朝。東京駅から新幹線に乗り込んだ。名古屋まで出て、そこから少し逆に戻り豊橋市に入る。ＪＲ飯田線に乗り継ぎ〝うじ虫〟の現場、牛久保駅に降り立った。

ポカポカ陽気の日曜の午後、祭り当日というのに駅前は静まり返っていた。駅前から続く道にも全く人の気配はない。オレは不安になって駅員に尋ねた。

「ああ、〝うなごうじ祭り〟ね。この道まっすぐ行くと大通りに出るから、そこを左」

どうやらこの地方ではうじ虫のことを、うなごうじと呼ぶらしい。

「これ読めば分るで」

と、二つ折りのＢ４サイズ『季刊　牛久保余話（創刊号）』というパンフをくれた。

本祭は午前六時、祭礼施行合図（煙火）から始まっているらしい。終りは夜の八時半頃、気の遠くなる長丁場だ。前日も宵祭りといって朝の六時から夜の八時までやってたらしい。

この街で唯一であろう駅前の喫茶店も閉っている。オレのお目当ての〝うじ虫〟行列まで後、一時間ほどある。仕方ない、パンフを読みながらブラブラ散歩することにした。

その時、突然、耳を劈《つんざ》く爆発音！　オレは花粉症の鼻水を一気に噴射、その場に立ち尽してしまった。

どこから出て来たのか、ガキが道端でオレを見て笑ってる。爆竹だ！　また火を付けやがった。それも連発……。

〝パパパパーーン！　パパパパーーーン!!〟

静まり返った街に爆音が響き渡る。お次は煙幕。硫黄臭が立ち籠《こ》める。香港か！　ここは。

〝パンパンパーーン！　パパパパーーン!!〟

遠くでも爆竹の音がする。オレに対し、ウエルカムってこと？

またも静寂。

オレは地雷撤去の緊張感を味わいながら、現場である八幡社にジリジリ近づいていった。

〝ザ・うしくぼ〟とデカデカ書かれたスーパー（なんで〝ザ〟が付く?·）、シャッターは降りているのだがその前で大量のブツ（爆竹や煙幕など）を積み上げた露店が軒を並べていた。

現場はすでに先輩方（通称・カメラオヤジ）が集っておられ、デカいカメラバッグや三脚で己れのテリトリーを確保されていた。いかん！　後れを取ってしまった。「すんません、ここ入れてもらえますぅー？」

神社前には三階建てぐらいはある山車《だし》が二台止っていて、一台の屋根には巨大な恵比須像が手に笹を持ち鎮座している。

〝ドンドンドン　ドン♬〟

櫓《やぐら》の中から稚児《ちご》が叩く太鼓の音が聞える。よく見ると裃《かみしも》を着た男が稚児の背後に回り、まるで人形浄瑠璃のように操作しているのだ。時折、櫓の欄干《らんかん》を利用して稚児は逆さまにひっくり返ったりする。ボリショイサーカス・レベルのアクロバット演技に見とれていると、神社から行列が登場した。

神官姿、紋付袴姿、胸に太鼓を下げたチャイナ風、オレの目の前を色とりどりなファッションが現われ、通り過ぎていく。御輿《みこし》もさまざま、木製の馬頭を担ぐ者もいれば、稚児を乗せた山車もある。

バラエティに目を奪われながらもオレは必死でうじ虫を捜す。

〝どこだ⁉ どこだ⁉〟

カメラオヤジたちを見回すと、その場を微動だにしない。ファインダーを覗き込み、今か今かと待ち構えている様子だ。

〝来るぞ! 来るぞ!〟

行列の最後部、菅笠をかぶり紺色の着物を身にまとったオヤジ衆九人。昼間っから酒を飲んでいるのか、フラフラの足取り。御輿もないし、手ぶら状態。

〝こいつらか……⁉〟

仲良さそうにスクラムを組む九人衆。コンパ・シーズンになると都会でもよく見かける光景。何やらデカい声で歌い出した。

〝さーげにもさあ
やんようがみもやんよう♬〟

そう聞き取れたが、何のこっちゃサッパリ分らん。

すると突然、九人衆、仰向けになり路上に寝転んだ! 道のド真ん中、足を寄せ放射状に広がる酔っぱらい軍団。

この光景から見た人は、惨劇と見間違うかも知れない異様な雰囲気が街に漂う。その大きな原因の一つは、いい大人がやっているところにある。

スクラム組んだ！

転んだ！

寝転んだ!!

起こされた！

しかし街の人は笑ってる。毎年の吉例行事に半《なか》ば麻痺《まひ》してるとしか思えない。

「よかったなぁーうじ虫も。今年は雨が降らんでなぁー」

どうやらこの祭り、どんなに雨が降っても中止しないという仕来りがあるらしい。大雨のうじ虫、オレはかつて我が家に起った惨劇を思い出した。

〝さーげにもさあ
やんようがみもやんよう♬〟

あのテーマソングがまたも歌われ、気持ち良く日光浴をしていた九人（いや九匹）のうじ虫たちは、後ろで見守っていた同じファッションの二人組に起こされた。

この二人組、ゴルフのキャディーのようにキャリングバッグを引いているが、中身は酒。渋々、起き上ったうじ虫たちに酒を振舞っている。

少し進んだところでまたもあのテーマソングが聞えた。妙に〝やんよう〟という響きだけが耳に残る。

オレは先輩のカメラオヤジたちと細い道、見物人に分け入って現場に近づく。またもスクラムを組み、道のド真ん中に倒れ込んでいる。

道端にいた子供がヨチヨチ歩きでうじ虫たちに近づいた。不思議そうに大の大人の寝顔を覗き込んでいる。

「ダメよ、起こしちゃ！　神様なんだから、ね」

〝え？　このうじ虫たちは神様なわけ？〟

UZIMUSHI What!?
人形のように動く
アクロバットぼうや
前
慶応十二年四月吉日
上四町 氏子
やんようがみも やんよう♪
見ようによっちゃー惨劇みたい…
ムニャムニャ…
この人しか彼らを起こすことは出来ない
うじ虫基本スタイル
これ、うじ虫
すっかり酔っちゃってまーす!

母親らしき人が慌てて子供の横に寄り添った。子供は指を示し、何かを訴えようとしている。未《いま》だ言葉は喋れないが、きっと「ママ、この人たち変だよ!」と正直な感想を述べているのだろう。

一分間ぐらいの寝込み。いや、酔い潰れ。またも起こされ、立ち上る。先ほどより酒が回ってるらしく、一層千鳥足《ちどりあし》に拍車がかかっている。

時計を見るとまだ四時過ぎ。このうじ虫(いや正式には〝ヤンヨウ神〟と呼ぶらしい)たちは、夜の八時過ぎまでこの繰り返しで街を練り歩くつもりらしい。もちろん酒は飲み続けなわけで、もう誰も手が付けられないことになっているのは必至である。オレが以前から恐れていた体育会系の酔っぱらいだらけの街。今ならまだ間に合う〝エスケープ!!〟

もう一度だけ、うじ虫状態をカメラに収めようと後を追ってみた。

十字路のド真ん中でキレイに円を描き大の字で寝転ぶうじ虫たち。西日が優しく彼らを照らしている。まるで映画『ザッツ・エンターテインメント』で見たミュージカルの一シーンのように美しい。

しかし時折吹く風は、プィーンと強い日本酒のニオイを運んでくる。

オレはうじ虫たちに背を向け、駅までの道を歩き始めた。〝やんようがみもやんよう♫〟、

気付くとあのテーマ曲を口ずさんでいる。

駅前の喫茶店は相変らず閉ったまま、静寂に包まれていた。その時、またも、

〝パンパンパパパーーーン! パパンパーン!〟

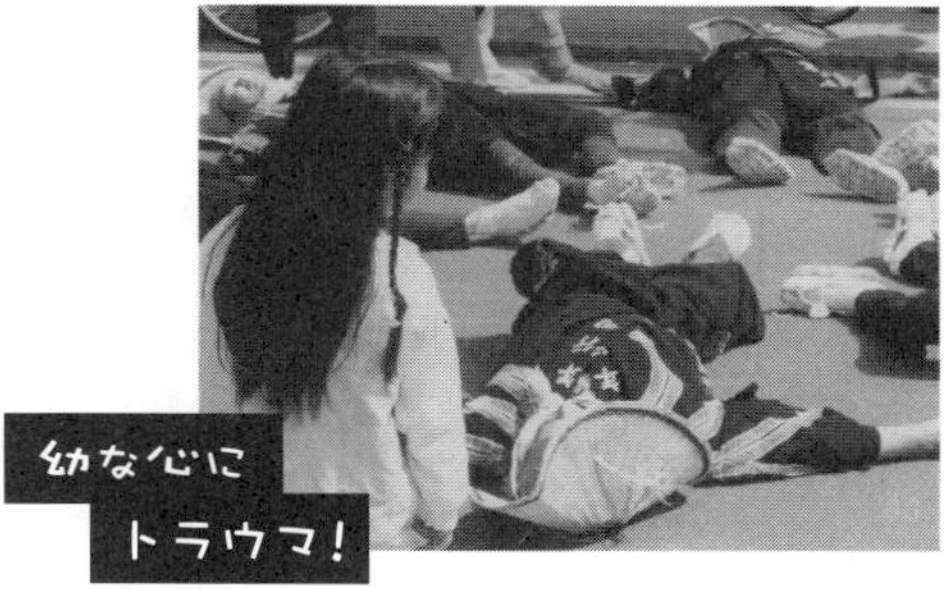
幼な心に
トラウマ！

酔ってま〜す！

花粉症で鼻水が一気に噴射！　あのガキである。オレの方を向いて笑ってやがる。それはグッドバイの意味なのかい？

鍋冠《なべかむり》祭りの巻

みうらじゅんの
わびさびたび
お鍋ちゃん
お釜ちゃん
そのルーツを知っておるのか？
鍋冠祭りの巻

鍋冠祭り

開催場所　滋賀県坂田郡米原町　筑摩神社
アクセス　ＪＲ東海道本線米原駅よりバスで約5分、
入江干拓資料館下車
開催時期　毎年5月3日

【米原町役場まちづくり課】
〒521-0016　滋賀県坂田郡米原町下多良3-3
電話 0749-52-1551(代)
http://www.maihara.com

(上記のデータは全て2004年6月現在のものです)

ゴールデン・ウィークは毎年、私ら芸人の稼ぎ時である。世間のみな様が日頃の疲れを癒してらっしゃる時、〝みなさーん！　バカやってまーす！　お笑い下さい〟って、お伺いを立てに日本各地を回るわけである。

でもオレは一度とて、自らを芸人と意識したことはない。いや逆に若い頃から憧れてた芸人さんなんかには到底なれやしないと思っていたのだが、オレを呼んで下さるイベンターの方々は「どんなネタをお持ちになります？　ま、当日のお楽しみですよね。パァーっと笑いを取って下さい」と、どう考えてもオレを芸人と思ってらっしゃる発言。ま、文化人扱いを受けて、チンプンカンプンなコメンテーター役よりも気が楽だけど、「朝の部はポカスカジャン、前日はコージー富田さんなんですよ」、あ、やっぱり意識とは関係なく芸人なんスね、オレ。

新幹線はグリーン車だ。売れっ子芸人だもん!!　旅行カバンにはネタであるバカなビデオやスライドが大量に詰め込まれている。車掌さんよ、キップはいいけど、カバンの中身だけは拝見しないでくれよ。

でも今年はちょっと訳あってイベントの前日入り。目的地の名古屋を通過し、京都に出た。東寺《とうじ》（教王護国寺《きょうおうごこくじ》）の仏像が数十年ぶりに修復されたらしい。小学生だったオレに「カッコイイ！」と思わず言わしめたスーパースター空海の密教仏たち。オレはどんどん歳を取ってボロになっていくのに、仏像たちは若返る。無情だぜ！　とりわけ講堂の帝釈天に目を奪われた。「あんた……、カッコ良過ぎやで」、感想も小学生当時と同じ、オレには全く進歩が見られない。

京都駅から今度は東海道本線に乗り、滋賀県の米原駅に降り立った。五月三日、午後二時頃、米原町のお旅所から筑摩神社への鍋渡御《なべとぎょ》があると聞いた。

〝鍋渡御とは一体、何だ？〟

猿田彦《さるたひこ》・御輿・獅子・警護・母衣人《ほろ》・長刀持ちなどのあとに、紙で作った直径三十五センチほどの鍋や釜をかぶり、八人の女の子が続く（『日本の奇祭』より）と、ある。

〝何故、鍋なんだ!?〟

氏子の女性が交渉を重ねた男の数だけ鍋をかぶって、その枚数を誇ったといわれる祭り、だそーだ。

〝何故、何故、鍋なんだ!?〟

平安時代から伝わるもので、鍋の数を見て一人前の女になったと判断していたのが起源とされる。

〝な…何故っ！　鍋なんだ!?〟

今は、八歳程度の女の子たちのものへと変ってきてしまった。

〝だからぁー、何故よ？〟

この目で確かめるべく、オレは『鍋冠《なべかむり》祭り』にやって来たのだ。

米原駅からタクシーに乗り込み筑摩神社と告げると、

「あぁ、〝お鍋さん〟見に来たんかいな」

と、運転手さんが言った。

「地元の人は〝お鍋さん〟って呼んでるんですか？」

そのフランクな呼び方に興味を持った。

「お鍋さんだけやなくて、〝お釜さん〟もおるんやで、オカマさん……」

運転手さんはわざと強調するように二度言って、そして笑った。

「オナベと、オカマですかあ。そりゃ、スゴイですねえー」

オレもそう言って愛想笑いした。

祭りのため通行止め。「ここまでしか行けへんわ」と言われた場所で降りた。〝そうだ！〟、なんで鍋なんスかあー？　運転手さん！

アスファルトの道は強い日差しを受けて、今にも蜃気楼《しんきろう》を映し出しそうなカンジ。遠くで祭り囃子が聞えてきた――

〝どーかしてるよ！〟をスローガンに、ここ二年近く各地の『とんまつり』を回ってきたが、オレは今、本当の意味で祭りが好きで堪らなくなっていた。大人も子供もいっしょになって、年に一度のここがパラダイス。オレはそんな非日常の中にいて、日常のストレスを忘れてる。笑ったり、拍手をしたりして、何もかも忘れてる。

人だかりが見えた。和服姿の女性、黒い紋付袴の男たち。その中で列をなしてる背丈の低い軍団、〝被っている！〟

まるでゴキブリの殺虫剤ＣＭのよう。強い日差しに被った黒い鍋がキラリと輝いている。

ゾロゾロいる！　ウジャウジャいる!!

オレはカメラのロックを外し、必死で近づいた。

軍団の前に回ってみる。鍋を被っているのは小学校低学年ぐらいのかわいい少女たち。キレイに化粧をしてもらい、口に紅をさしている。もうすでに集っているカメラオヤジ（先輩諸氏）の前で、ニコニコ笑ってピースサインを出しているエンジェル。見なくてもいいものまで見て、濁ってしまったオレの瞳とは違う。今日の青空のよう、どこまでも澄み渡っている。これを幼気と呼ばずして何と呼ぼう。

しかし、少女たちよ！

その頭に被っている鍋のことなんだが、知っているのか？　その由来。交渉を重ねたとは聞えはいいが、ま、要するに、何て言うの、ほら、言い難いが、やっちゃった男の……（ゴメン！　おじさんはいけない人だよね）、でも言うよ……男の数だけ鍋を被るってことなんだよなあー。

〝近江なる　筑摩の祭とくせなん
つれなき人の鍋を数見む〟

『伊勢物語』の一節にもあるそうな。

そんなこと、どーでもいいじゃないねぇー。やっぱり、おじちゃんが間違ってたね！

和服姿の女性、そして紋付袴の男たちに囲まれて、鍋少女たちは移動し始めた。民家が密集してる田舎の細い道。オレたちカメラオヤジは弾き飛ばされ、ギューギューになって進ん

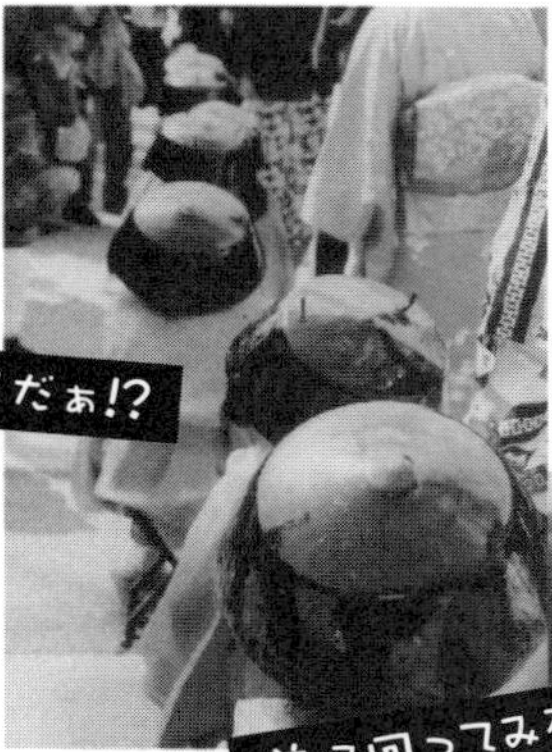
何だぁ!?

前に回ってみる!

コレ、横

でいく。筑摩神社はその先にあった。

御輿《みこし》や太鼓を乗せた車、見上げるほどの巨大な山車《だし》、狭い神社前は運動会が始まるみたいに人がごった返していた。

その中に分け入るように祭りの主役、鍋少女八人が到着した。

「○○ちゃん、こっち向いて!」

「この間まで、ほんの子供やと思もてたら、○○ちゃん大きぃなったなあー」

近所のおばさんから井戸端会議的な歓声が上る。

「○○ちゃん、今年は〝お釜さん〟なんや」

そうだ、タクシーの運転手も言ってた。よく目を凝らして見てみると、鍋だけじゃない。底から小さく三本、足が出ているものや、底が二段に凸起しているものもある。

ねえ、またおじちゃん、変な夢想していい? 鍋少女たちは耳を塞いでいてくれますぅー。

たぶん昔は紙で作った鍋や釜じゃなく、本物だったわけでしょ? 何人の男と交渉を重ねたかは分らないが、四、五人にもなりゃ頭が重くてグラグラでしょ。そんなもん今、都会で復活させたら大変でしょ。コギャルの首の骨なんか、一溜りもなく折れちゃうでしょ。

「さあ、出発しましょう!」

くだらない想像をしていると、号令がかかり神社前の祭り集団は列をなした。猿田彦、御輿や獅子が先頭を切って、またも先に続く細い道を行進していく。オレもカメラオヤジと先回り、交通量の多い二車線道路に出た。その時、道路のすぐ向こうに突如、琵琶湖が姿を現

鍋といってもいろいろある
NABEKAMURI
横
後
これは釜だそうだ
ベレー帽のような鍋
ノーマルな鍋
レレレのおじさんぽい男
天狗面の男
無垢な少女たちはカワイイな
What!?
グラグラ
うーん…今ならさらこれ以上の女の子がいっぱいだろう…
ヒック
重い…

わした。子供の頃、海だと信じて疑わなかった琵琶湖が、太陽の光に湖面をギラつかせていた。……スペクタクル！

道路脇には〝横断中〟と書かれた黄色い旗を持ったおっちゃんが交通整理をしている。黄色い帽子が妙にプリティだ。

〝ピーッ！　ピーッ！〟

車を止めて、天狗面の猿田彦や烏帽子を被った男たちが横断していく。現代と過去、どっちがタイムスリップしたのかよく分らない状態だ。

「ストップ！　ストップ！」

交通渋滞。おっちゃんが祭りチームを制する。先頭は母衣人と呼ばれるチビッコ。鍋少女に目を奪われ気付かなかったが、武者姿の男の子はダリ系の立派な髭が描かれてる。〝プッ！〟、かなりトンマだ。当の本人は描かれたことなどすっかり忘れてる。脇に立つ母親らしき人物に「プレステ2、買うてや」なんて、その顔でねだってるんだろう。

徐々に祭りチームは道路を横切り、湖岸に移動していく。そしてラスト、鍋少女八人も無事、渡り切った。琵琶湖をバックにズラッと並んだ鍋冠祭り御一行。壮観である！

カメラオヤジたちはその全景を収めようと、重そうなカメラバッグを下げ道路の反対側を練り歩く。

「こっち向いて！」

やっぱ人気者は鍋少女たち。頻《しき》りにリクエストが飛ぶ。

あぁ、
君はエンジェル!

タイムスリップ
の瞬間!

う〜ん、
マンダム

「お鍋ちゃん！」

「お釜ちゃん！」

近所のおばちゃんからもモーニング娘。さながらの歓声が巻き起る。

〝うーん……〟

オレはその光景をカメラオヤジ側に立ち呆然と眺めていたが、〝何故、鍋かぶってんのよ？〟と原点の疑問に立ち返った。

〝やっぱり、これはヘンでしょ？〟

オレは自分が手に持っている重いバッグの中身（明日のイベントのバカなネタ）をすっかり忘れていた。湖岸をゆっくり移動する祭り御一行、時折、強い日差しが鍋に反射しキラキラと輝いているのが見える。

〝君は季節が変わるみたいに
大人になった♬〟

オレの心には井上陽水の『いつのまにか少女は』が流れていた――。

いつのまにか 少女は♪

つぶろさしの巻

つぶろさし

開催場所　新潟県佐渡市羽茂本郷　菅原神社、草苅神社
アクセス　佐渡島・両津港下船、車で約50分
開催時期　毎年6月15日

【新潟県佐渡市羽茂支所地域振興課】
〒952-0504　新潟県佐渡市羽茂本郷550
電話 0259-88-3111（代）
http://www.sado.co.jp/hamochi/Default.htm

（上記のデータは全て2004年6月現在のものです）

二年間に及んだオレのマイブーム『とんまつり』の旅も、佐渡島の『つぶろさし』で一応、最終回を迎えようとしている。

新潟に向う上越新幹線の中で、かつて行った祭りを想い出し、ついつい顔がニヤついてしまった。一応、とあえて書いたのはオレの中ではまだ完全燃焼感はなく、さらなる笑いを求めて今後も旅をし続けるだろうということ。全てに於いて平均化してしまった都会が忘れた〝突拍子もない〟センス、それは〝パワー〟という言葉に置き換えてもいいだろう。地方にはまだまだそんなパワーが十分残っていることを知った。

実はこの連載を始める前まで、全く祭りなどに興味はなかった。興味がないどころか、オレの血に流れている〝和〟なものへの嫌悪すらあったのだ。

オレの生れ育った京都は年がら年中、どこかで祭りをやってるよーな街で、ロックに明け暮れた青春期、はんなりした祭り囃子を掻き消すように最大限のボリュームでレコードを聞いた。そして来世はアメリカ人かイギリス人に生れ変り、ロック・ミュージシャンになる夢を見た。病名は〝青春ノイローゼ〟。

オレの病気は青春期を疾《と》うに過ぎても完治することはなく、いつしか日本に居ながらにして観光外人のような視点を持つようになった。〝日本って、やっぱ変！〟、十年ほど前、旅行先で手に取った絵ハガキ・セット。その中に入っていたのが佐渡島の『つぶろさし』だった。

ひょっとこのようなオモロ面を付けたハデな和服男が、股間に大巨根の張り形を挟んでポーズを決めていた。〝一体、こんな絵ハガキ、誰に出せばいいんだ!?〟、受け取った方が女性なら、その絵柄から差し出し人の何らかの裏心を汲み取ってしまうだろう。

オレはその時点でまだ、それが祭りの一シーンだとは思いもしなかった。

歳を重ね、大切にしていた思い出がうまく思い出せなくなっても、その大巨根張り形男の記憶は宿便のように脳ミソにこびりついていた。

ある日、部屋を掃除していると、あの時出すのを憚《はばか》った絵ハガキが出てきた。何年かぶりに見ても、その突拍子のなさは色褪せることはなかった。オレはまたも釘付《トリコ》けになり、今度は調べてみることにした。

「毎年六月十五日、菅原《すがわら》神社と草苅《くさかり》神社で行われる例祭が羽茂《はもち》まつりだ。祭りでは、豊作と子孫繁栄を祈願する〝つぶろさし〟というユニークでユーモラスな神楽が披露される。つぶろとは男性のシンボルのことで、つぶろをかたどった棒を身に付けた男性がつぶろさし。この男性の気をひこうと、ささらという二本の竹片を擦り合わせるささらすりの女性と、銭太鼓で気をひく女性の三人が、踊りながらからみあって奉納されるもの」(『るるぶ　新潟佐渡』ＪＴＢ)。

見たい！　この目でライブが見たいっ!!

その衝動が『とんまつり』ブームの発端であった。だからどーしても『つぶろさし』を最終回に持ってきたかったのだ。

新潟駅前からバスで新潟港へ。高速船ジェットフォイルに乗り込んだ。梅雨時であったが、幸いにも空は晴れ、波も穏やかで一時間余りの快適な航海だった。

一体、誰に
出すんだ!?

シリアスな
会話は
出来ない!

佐渡島の両津港、ホテルの送迎バスを待つ間、少しブラブラしているととんでもないもの発見っ！　佐渡おけさを踊る巨大な人形二体。どちらも腹部がブチ抜かれており、そこに公衆電話が内蔵されていた。「お友達の関係でいましょ、ね」、こんな電話ボックスで失恋だけはしたくないものだと思った。

両津市から南下、真野町のホテルで一泊。翌朝、そこから三十分ほどタクシーで羽茂の町に入る。

「羽茂の人たちはスケベですからねぇー。今日は祭りだから朝から酒飲んでますから、そりゃスケベに拍車がかかってるでしょう」

運転手さんがアドバイスをくれる。村の祭りは無礼講なので、時として都会暮しが長いオレをドキドキさせてくれる。

タクシーを降り、祭り囃子が聞えてくる方に近づいていくと、さっそく缶ビール片手の鬼面男に遭遇。「あのぉー、菅原神社はどこですかねぇ?」、少しビビリながら聞くと「教えらんない！」と、呂律《ろれつ》の回らない口調で返ってきた。その上「ま、ビール飲んで！」と、飲みさしの缶ビールを渡されてしまった。オレは余所者《よそもの》の礼儀として、微温《なまぬる》いビールを一口飲んだ。「この道、真っすぐ行って、そこでまた聞いて」、やっと心が通じたらしい。鬼面男は道路で飛び上り、そして民家の中に消えていった。

菅原神社はこんもりした森の中、急な石段を上り詰めた所にあった。地元民らしき数人と、やはりここにもカメラオヤジの姿があった。しばし、拝殿前の石鳥居に腰掛けてスターを待

TUBUROSASHI
顔は不美人らしく隠しているが、ボディがいいそうな……
銭太鼓女装
ササラスリ女装
ツブロ指しのまわりで挑発し続ける
びゅ〜ン
WHAT!?
切ない手の動き？
う〜ん どーかしてるぜっ！
色っぽい腰の振り……？
プリプリ
ジャギ
ツブロ指し男装
菅原神社バージョン
草刈神社バージョン
つぶろさし
股に挟んだつぶろを落しちゃ大変ッ！これはテクですな、テク
とんまつりジャパ〜ン
つぶろ(男根)の根元には毛まで生えていて、それはそれはリアル!!
草刈バージョンのサゝラすりは顔がブラック系
シャギ シャギ
サゝラすり
赤鬼 青鬼
ビィ〜ン
菅原神社のより大きい気がする！
鬼舞 つぶろさし

つ。初めに上ってきたのは和太鼓を抱えた二人衆。そして女もののハデな着物を着た爆笑面(アホの坂田似)。でもこの役は美人の女性を表徴するとされる〝ササラスリ〟。

そして銭太鼓と呼ばれる、顔に覆面をし不美人を表徴する役が獅子といっしょに登場。

「今日はいいお日柄で」、村人たちとフランクな会話をしている。いよいよスターの登場に弥《いや》が上にもオレの心は高鳴った。ササラスリと似た爆笑面が石段を上ってくる。会場も騒《ざわ》つく。性力絶倫なる男性を表現する役、ツブロ指し(菅原神社ではそう表記)。石段の途中で「スマンスマン! 大切なもの忘れてきた」と言い、来た道を引き返した。手ぶらで来たのである。忘れものは巨大なバットのような張り形。大切中の大切でしょ、ダンナ!

さぁ、みんな揃った。神主の「そろそろ始めましょうか」の一言で、太鼓が打たれ、そして拝殿前で突拍子もない踊りがくり広げられた。ツブロ指しは初め、バットのような張り形を刀剣のように振り回し、そして股間に宛がった。片手で握り太股でしっかり挟み込んだ。

そこに彼を挑発するかの如くササラスリが現われ、腰をくねらせ、手に持った棒切れを擦り合せ〝シャギシャギ〟という音をたてた。どうやらツブロ指し、その音を聞くと興奮するらしく大巨根を〝ビンビン〟と隆起させる。銭太鼓と呼ばれる覆面役も、その肉体を使ってツブロ指しを挑発している様子。

太鼓の音も高鳴りツブロ指し、とうとう両手放しで股間のイチモツを上下に振り出した。流石《さすが》のギャラリーもその行為に爆笑! もちろんオレも笑いでファインダーが揺れている。

ササラスリ
登場！

Are You Ready?
OK!!

おっと！
様子が変だぞ!?

〝おっと！〟、ツブロ指し、背を丸めイチモツを抱え込んだ。長年男をやってきたオレには分る。もうそろそろクライマックスを迎えているのだ。今度は背を反《そ》り返らせ、しっかりした手付で己れのイチモツを扱《しご》き出した！

軽い痙攣がツブロ指しの体を走る。ササラスリはまだまわりで〝シャギシャギ〟やっている。

〝フ――ッ〟

首に巻いた長いマフラーでイチモツの先をゆっくり拭くツブロ指し。同じ部分で顔も拭いている。ちょっと！　手順が逆だろーが。

「どーも、ありがとうございました」

時間にして十分ぐらい。でもこれ以上は望めない。フィニッシュである。

夏の陽気、強い日差しを受け固唾《かたず》を呑んでいたこともあって、祭りが終ってもオレはしばらくの間クラクラしていた。神社前で配られたパンフレットの一文「観光客も演者も全く陶酔、宇宙万象一如となって無我の境地に入るものであります」う～ん、確かに……。

草苅神社でもこの後三十分後に『つぶろさし』(草苅神社ではこう表記）が催されると聞いている。「この前の川沿いを真っすぐ行けば見えてくるで」、フラフラした足取りで歩き始めると、水木しげる氏似のおじいさんが近づいてきて「あんた、草苅神社までかなりあるぞ」と、車に乗っけてくれた。地方の祭りに行くとこういうありがたい親切と出会えることがある。「草苅のは、もう一回りつぶろが大きいでな」、重要なアドバイスも頂く。

またも
フィニーッシュ!

こっちの方が
デカイ!

どーかしてるのは
こっち
もだ!

神社前にはカメラオヤジが引率するカメラオバチャンの団体が待機していた。手にはつぶろ級なズームレンズ、一体それで何を接写するわけだ⁉

草苅神社では初め、青鬼と赤鬼による舞いが披露された。雲一つない青空の下、色鮮やかな鬼が一際《ひときわ》映えている。つぶろさしとサヽラすり（草苅神社表記）は参道脇で出番を待っている。

太鼓の調子が変ると、鬼は引っ込み御両人が登場した。刀剣のようにイチモツを振りかざすつぶろさし。性的に熟した女の腰振り、そしてやるせない手先を表現するサヽラすり。またも近づいては〝シャギシャギ〟やっている。つぶろさしは音こそ出さないが、〝ビビビィーン〟と、イチモツを持ち上げることで表現している。うーん、確かにあのおじいさんが言う通り、つぶろがデカく感じる。そこに向って団体カメラオバチャン、ズームを伸ばす。〝カシャ！　カシャ！　カシャ！〟、シャッターの砲弾を受けるつぶろさし。これを大らかな光景と呼ぶべきか？　いや、やっぱりこれは「どーかしている！」

またもフィニッシュの時がきた！

オレは今、やっと冷静さを取り戻し、初めて絵ハガキで見た時の衝撃を思い出した。これぞパワー！　本来あった切実な願いは、時代を経て薄らいだかも知れないが、この突拍子もないパワーは今も健在。「愛欲と本能と享楽の幽界に達するが如く実に観客を陶酔させ思わずその神秘に打たれて踊り出す者数知らず」（草苅神社パンフより）。

つぶろさしを二連発も見てオレはフラフラで神社を後にした。川沿いの道に座り込んで呼んだタクシーを待っていると、遠くで祭り囃子が聞えてきた。村では夜まで祭りが続くという。飲んだくれの鬼もピッチを上げていることだろう。

さよなら佐渡島。さよならつぶろさし！

ありがとうございました!

あとがき

明治十七（一八八四）年、法隆寺夢殿の「救世観音《くせかんのん》」の開扉を命じたのは宝物調査に赴いたフェノロサだった。

「コンナニ　エエモン　アリマッセ！」

そう言ったか分らないが、日本人よりも日本の文化に逸早《いちはや》く興味を示したのは皮肉にも外国人だった。

ラフカディオ・ハーンしかり、現代では映画『キル・ビル』で、日本B級文化の魅力を世界に知らしめたタランティーノ監督。日本人よりも日本に詳しい外国人。彼らはあくまで異文化であるという見地から、従来のカテゴリーに縛られることなく、ただ「ファニー！」とか、「エクセレント！」とか、「オリエンタルー！」とか、時には「王様は裸だ！」とも言ったりする。

かつては五穀豊穣を願っての祭事も、今はまわりに田畑はなく、巨大な男根を象《かたど》った御輿《みこし》がコンビニやローン会社の建ち並ぶ前を練り歩いている。二車線道路で一車線は交通規制しているが、もう一方は車が引っ切り無しに通過していく。このシュールな光景に歓声をあげ、写真を撮りまくっていたのは観光バスでやって来た外国人の団体だった。

オレはその横に立って、右手には一眼レフ、左手にはビデオカメラという〃フルとんまつり鑑賞スタイル〃を決めていた。オレの見地も結局、彼らと同じ、日本に居ながらにして観光外人気分を味わっていたのだ。

しかし何か釈然としない気持ちが残る。オレのDNAが〃それでいいのか〃と、問う。日本伝統文化の素晴らしさ、その中のファニーだけを抽出して観光外人に両手離しで譲っていいものなのか？　いや、見た目のファニーも然る事ながら、その起源や八百万《やおよろず》の神を受け入れる日本人の感覚こそがファニーなのだということ。

オレはこの〃とんまつり〃の旅を通して日本が大好きになった。「どーだ！　おもしろいだろ」って、胸を張って言いたくなった。「ササラスリって、知ってる？」と、タランティーノにも教えてあげたくなった。

インターネットの出現で、ほとんどの情報は家に居ながらにして知ることが出来るようになった。しかし、行ってみなくちゃ分らないことがある。時刻表とは名ばかりの、一日にバスが二本しか来ない地獄のような地獄表を見て愕然とした村での思い出。ケータイの電波が届かない地域での祭り。もうそこは秘境と呼んでもいいだろう。日本は狭いように見えて、奥は深過ぎるのである。

文庫化に当り、祭りの情報データを増量した。でも不便な所は変わらない。是非、この機会にあなたの目で〝どんまつり〟を！
横尾忠則様、荒俣宏様、編集部の伊礼春奈様、そして各地のお祭り関係者の方々、本当にありがとうございました。

二〇〇四年五月十三日

みうらじゅん

❶蛙飛行事の巻
奈良県吉野町／金峯山寺
【開催時期】毎年7月7日

❷笑い祭りの巻
和歌山県川辺町／丹生神社
【開催時期】毎年「体育の日」直前の日曜日

❸尻振り祭りの巻
福岡県北九州市／井手浦公民館
【開催時期】毎年1月8日

❹おんだ祭りの巻
奈良県高市郡明日香村／飛鳥坐神社
【開催時期】毎年2月の第一日曜日

❺姫の宮 豊年祭りの巻
愛知県犬山市／大縣神社
【開催時期】毎年3月15日直前の日曜日

❻田縣祭りの巻
愛知県小牧市／田縣神社
【開催時期】毎年3月15日

❼水止舞いの巻
東京都大田区／厳正寺
【開催時期】毎年7月14日

❽撞舞の巻
茨城県龍ケ崎市／撞舞通り
【開催時期】毎年7月下旬

❾恐山大祭の巻
青森県むつ市／恐山菩提寺
【開催時期】毎年7月20日～24日

❿抜き穂祭の巻
愛媛県大三島町／大山祇神社
【開催時期】毎年10月中旬（旧暦9月9日）

⓫子供強飯式の巻
栃木県日光市／生岡神社
【開催時期】毎年11月25日

⓬牛祭りの巻
京都府京都市／広隆寺
【開催時期】毎年10月10日

⓭悪口祭りの巻
栃木県足利市／最勝寺
【開催時期】毎年12月31日～1月1日

⓮ヘトマトの巻
長崎県福江市／白浜神社・山城神社
【開催時期】毎年1月16日

⓯ジャランポン祭りの巻
埼玉県秩父市／諏訪神社・下久那公会堂
【開催時期】毎年3月15日に近い日曜日

⓰うじ虫祭りの巻
愛知県豊川市／牛久保八幡社
【開催時期】毎年4月7・8日に近い土・日曜日

⓱鍋冠祭りの巻
滋賀県米原町／筑摩神社
【開催時期】毎年5月3日

⓲つぶろさしの巻
新潟県佐渡市／菅原神社・草苅神社
【開催時期】毎年6月15日

※それぞれのまつりの詳細情報は各章のデータページをご参照ください。

とんまつりMAP

解説
幸福な祭探究者

荒俣　宏

みうらじゅん先生の事務所におうかがいすると、用事が済んでも直ちに帰れなくなります。なぜなら、変なもんがたくさんあって、もっと変なもんを押入れや天井に隠しておられるからです。この前行ったときは、窓辺にチョコエッグの日本動物シリーズ第一期の面々が並んでいたので、海洋堂を集めてるわたしは、熱心に見物しました。中に、持ってないのが一体あったので、愛《いと》おしそうに触ってると、みうら先生が、

「あげます」

っていうんですね。うれしかったです。

で、帰ろうと思ったら、押入れから出してきたのが、昔の雑誌のエロ・グラビアを集めたスクラップブックです。何冊もありましたが、おもしろくて全部見てしまいました。

で、遅くなりますから帰らせて、といおうとしたら、子供の頃から始めたという変な仏さんのスナップ写真集を持ちだしてこられ、見せてくださるんですね。これもおもしろくて、食い入るように眺めてから、さて、ここらで失礼しますっていおうとすると、こんどは各地のみじめな土産品を集めた正体不明なアルバムなんかが出てきてしまうんです。

で、見終わって、こんどこそ絶対に帰るぞと心に誓い、腰を上げたときに、天井裏から出してきたのが、とんまつりのVTRでした。もう一泊するしかありません。おもしろすぎるわけです。わたしも日ごろから、世の中に捨てるものなし、森羅万象すべておもしろし、という哲学を実践しているつもりですが、みうら先生は「おもしろがり」の超・達人です。必死になっておもしろがろうとされておられます。その圧倒的な感染力によって、周囲の人も無理矢理幸せにさせられてしまいます。その極致こそ、従来民俗学者や宗教学者がむずかしい顔して研究していた由来不明の祭のコレクションです。わたしなどは、すぐに、こんな奇怪な祭の正体は何なのだろう、陰陽道か景教か、それとも南方シャーマニズムの痕跡か、などと妄想し鼻息をフンと吹きだしながら独り興奮しがちなのですが、どーせ何も分かりはしません。学者のみなさんだって、多くは妄想をちょこっと精密にするばかりの話なのです。

ところが、みうら先生は最初から妄想せず、偏見も持たず、ひたすら「どーかしてるよ！」という精神の高みから、わけのわからない祭を観察しつつ、そういうバカな祭を見物しに行くご自分を楽しんでおられるわけです。つまり、「好き」なんですね。好きであるということは、自分が幸せになることでもあります。恋愛したら分かりますよね。苦しいながらも幸せですから、好きならば。そして恋愛も、他人から見れば、「どーかしてるよ！」となるのですが、たとえばモテない友人か誰かの拙《つたな》い恋の行方を眺めてると、愛しくなって目が離せなくなりますね。そんなときわたしたちは月下氷人、すなわち縁むすびの世話役になっているわけです。

これをとんまつりについて言えば、みうら先生は古くて深い日本文化のうち、いちばん生《うぶ》で稚《わか》い、不器用な部分をあたたかく見守っている、祭の月下氷人を演じていることになります。これなら、何を見ても、どんなにトンマな祭を見ても、愛しくなれます。なにしろ、お母さんか保母さんの心境で眺めるのですから。みうら先生は「幸せ」なんですね。

しかし、とんまつりという命名に秘められた偉大な観念（アイデア）には、祭を職業的にいじくり回している専門家を、内心ドキリとさせるような、本質を衝く鋭さがあります。要するに、世界の祭はことごとくが基本的に「とんまつり」だからなのです。

ふだん地味に仕事にはげんでいる日常を、民俗学で「褻《け》」といいます。普段通り、ということで、「素面《しらふ》」の状態を指します。この逆の状態を「晴《はれ》」といい、異常で特別なことをする日を指します。普通でないことをしますから、酒でも飲んで酔っぱらわないとできません。ケの日々は真面目に働きますが、みんなが変になるハレの日には、祭を行ないます。尋常でない日に酔っぱらってする祭ですから、まともであるわけがありません。すなわち、祭とは、ケの状態にある冷静で普通の人々から見ると、ことごとくが必然的に「とんまつり」とならざるを得ません。

で、普通はケの目でハレの日の祭を眺めるわけですね。これだと、単に、バカに見えるだけです。でもみうら先生は、いわば、年中ハレの精神をお持ちの先生です。ハレの目の強力な眼光、尋常でない眼光によって、ごくつまらない日常のものを照らしてしまいます。なにしろ酔っぱらった目ですから、落語に出てくる泥酔した息子が「こんなグルグル回る家なんて相続してやらねえや」と父親に言うようなもので、真面目・まとも・普通だったものすらおもしろく見えてくる力を持ちます。

さて、このハレの目を持つ先生が、同じハレの日のイベントである祭を眺めたとき、どうなるでしょう？　もちろん、

「いったい、どーなってるんだ！」

となるわけです。ハレがハレを見るので、相殺し合って「ケ」の冷静さが生じるのです。酔っぱらいが迎え酒を飲むのと同じで、目が覚めるんです。そしたら、へべれけの酔っぱらいがお祭りしている、そのだらしなさ、いい加減さが、バカバカしさが一人だけ見えてきます。でも、ご本人がそもそもハレの目ですから、他人の酔っぱらい状態を寛大に許せます。それればかりか、慈母のように愛おしく見守ってしまいます。「どーなってるんだ」といいながら、ほほえんでいらっしゃるのです。

たとえば祭にはミコシが出てきます。みんなこれを担いで、興奮状態になります。ふだんケの世界にいる人は、祭に酔っぱらって、すっかり普通でなくなりますから、ミコシを担いでも神を担いでいる気になります。ミコシは神輿《みこし》と書いて、神の乗りものを意味するからです。ケの人は、まんまと幻《まぼろし》に巻き込まれます。

常時ハレの人は、祭の場に立つと、「ハレハレの人」になります。ハレのステージが一段上がった結果、逆に精神がカール・ツァイスのレンズのように研ぎ澄まされていきます。ハレハレの目で神輿を眺めると、何だか不細工な神の乗りものに見えてきます。おい、おい、

なんだこれは！　となるわけです。しかし、ハレハレの人が「どーかしてるよ！」と叫ぶ場合、わたしたちのようなケの人が発する言葉とは意味が違ってきます。呆れ返ってバカにする、のではなく、「まだまだダイジョーブ」という肯定的なニュアンスになります。本来バカバカしい「ハレの祭」が、まだ十分にバカバカしさを維持しているという事実を確認するのです。この感性を、本書では「わびさび」と説明しているのです。アホらしいものを認め、愛する余裕、とでもいいましょうか。

ちょっと面倒くさい話になりすぎたかもしれません。それではこれから、みうら先生が収集したとんまつりの具体例によって、これまでの話をおさらいしたいと思います。牛祭りの巻で「うーん、そこらへんは荒俣宏さんに聞いて欲しい」と、みうら先生に説明を振られておりますので、この「蛭子能収さんの描くマンガキャラのよう」な神さまを紹介しましょう。これはマタラ神と呼ばれる妙な容貌の神さまで、正直にいうと神さまだか仏さまだか、よく分からない。年に一度、こういう幸福な顔をした別世界の人が、牛に乗り、鬼を連れてやってくるのです。集まった人に「幸福」を約束するといいますから、これは一種のハッピーフェイスです。専門家のみなさんは秦氏《はた》の神とか聖徳太子の神とかおっしゃっておいでですが、正体は杳《よう》として知れません。祭文は内容がかなりエッチであったといわれますので、五穀豊穣（つまり産めよ殖やせよ、ですね）に関係があるのでしょう。

みうら先生はこの神さまの遊行があまりにも静かで、しかものんびりしていることに呆れ返り、「幼稚で不気味」なところに呆然としております。けれども、この祭の見所は、まさしくその二点であって、その異様さがすべてなのです。なぜなら、普通の生活に突如として「素面じゃ見てられない異形のもの」を引きだし、ケをハレに一変させなければならないのですから。とんまつりの要件、すなわち祭の本質なのです。

もっとすごいのが、人がカエルに化ける「蛙飛《かえるとび》行事」や「撞舞《つくまい》」です。人が異形に変身することを「風流《ふりゅう》」といいます。何でこんなことするかといえば、この世とあの世の境がなくなって、生者と死者とが一緒に宴会するためなのです。死者をこの世に呼び返して、この世で楽しく救済しよう、世俗の幸福であの世の苦しみをブッ飛ばそう、という途方もないハレの宴会場設定ですから、極力バカになるしかありません。人間もバカになるために被りものを着けるのです。これがカブキ者の歌舞伎の起源です。芸能の起源です。

さらに、この世でいちばん幸福なのは、エッチです。こればっかりはあの世では楽しめません。エッチはこの世を強く豊かにします。で、チンチンだらけの田縣《たがた》祭だの、新潟の「つぶろさし」だの、まぶしいばかりの凜々しい性器が登場いたします。とんまつりにあっては、みんなが立派なAV俳優になれるわけです。

わたしも神奈川県川崎市の「かなまら祭」という、「とんまつり」度の非常に高い祭を見学したことがあります。でっかいチンチンのご神体を担いで町を練り歩く祭ですが、ピンク色の巨大ペニスが鎮座する神輿は、「エリザベス」といい、これを亀戸のオカマさんや女装のおじさんたちが担ぐのであります。見ていて、目が点になるどころか、白目をむいてしまったことを覚えています。

古《いにしえ》の日本人は、こうして「とんまつり」度の高まりを異界への侵入のエネルギーといたしました。みうら先生は、そのような「歴史の秘密」をすっかり解いてしまっているのに、気にせず幸福に呆れ返りつづけています。

「やっぱり、これはどーかしている！」

みうら先生からこの決め言葉が出るとき、目の前にしている祭は十分に高い「とんまつり」度を具えた、あの世への――いや、もとい！　――幸福への入口となるのであります。

ありがとうございました。

本書は、『小説すばる』一九九八年九月号から二〇〇〇年八月号まで、「わびさびたび」として連載されたものを改題し、二〇〇〇年七月、集英社より刊行されました。

また、「つぶろさしの巻」は、その際に書き下ろしで加えられた章です。

日本音楽著作権協会（出）許諾第〇四〇七五〇四－七〇四号

本文イラスト・写真／みうらじゅん
ＡＤ／東白英（ホワイト・ファット・グラフィックス）
本文デザイン／福住修（ホワイト・ファット・グラフィックス）

集英社文庫

とんまつりJAPAN　日本全国《にっぽんぜんこく》とんまな祭《まつ》りガイド

2004年７月25日　第１刷
2017年10月23日　第４刷

定価はカバーに表示してあります。

著　者　みうらじゅん

発行者　村田登志江

発行所　株式会社　集英社

東京都千代田区一ツ橋2-5-10　〒101-8050
電話　【編集部】03-3230-6095
【読者係】03-3230-6080
【販売部】03-3230-6393（書店専用）

印　刷　大日本印刷株式会社

製　本　大日本印刷株式会社

フォーマットデザイン　アリヤマデザインストア　　マークデザイン　居山浩二

ISBN978-4-08-747724-5 C0195